Tu viaje a Irlanda

Ganadora del Premio Joven 2013
de la UniversidadComplutense de Madrid

Jazmín, 22 – 28033 Madrid
www.gadireditorial.com

Diseño: Gadir Editorial
Impresión: Gráficas Deva

Impreso en España – Printed in Spain
ISBN: 978-84-942443-2-2
Depósito legal: M-9125-2014

Esta novela ha obtenido el Premio Joven 2013 de Narrativa de la Universidad Complutense de Madrid que otorgó el Jurado compuesto por Andrés Sorel, Luis Mateo Díez, José María Merino, Ángela Ena Bordonada, Marcos Roca Sierra y Javier Santillán.

Diego de Cora

Tu viaje a Irlanda

Pequeña Biblioteca Gadir
-Autores de hoy-

GADIR

Tu viaje a Irlanda

1

El Zenit es un restaurante en el que se presume elegancia y cordialidad. Es un lugar que conoces muy bien. Desde la primera vez que viniste te han llamado la atención esas paredes tapizadas, ovaladas, lisas e impolutas, sin dobleces, sin un cuadro. Te fascina la idea de que alguien pueda tapizar una pared como si fuese un sofá, menuda ocurrencia, sueles pensar, y te preguntas si habrá más sitios como este. Desde luego tú no lo has visto antes en ningún otro restaurante ni en ningún otro local al que te hayan llevado. Sí puede que lo hayas visto en alguna película antigua, una de esas de época en las que el que mandaba era el rey y las damiselas se enamoraban del héroe y todo aquello tan antiguo… Para ti, el Zenit es como sacado de un cuento de hadas.

Allí has quedado con Rita, tu verdadera amiga y mejor cliente. Una mujer elegante y con clase. Siempre ha sido muy atenta contigo. Como no podía ser de otra manera, está esperándote en vuestra mesa de siempre, a ti te gusta sentarte ahí porque está en medio del comedor, así puedes mirar al resto de la gente y sentirte observado por todas esas mujeres. Después de todo, el Zenit es un restaurante de citas y, por lo tanto, dejarse ver por allí es una buena forma de promocionarse fuera del programa de entretenimiento.

A pesar de que sus vestidos de noche se han vuelto más discretos con el paso del tiempo, Rita viene hoy espléndida. La primera vez que la viste llevaba un vestido plateado a juego con unos enormes pendientes en forma de bola, los labios pintados... Espectacular. Pero últimamente siempre trae vestidos negros, estilosos, aunque algo austeros. De todos modos, no se puede decir que no venga preparada para la ocasión. Nunca ha dejado de pintarse, depilarse el bigote ni de afeitarse las axilas.

Te encanta que las mujeres se afeiten los sobacos. Sabes que se supone que el hombre es el que debe preocuparse siempre de que todo esté a gusto de la dama, pero a tu juicio no es de recibo que la otra parte se descuide totalmente, es una falta de respeto. Vale que eres un galán, pero las relaciones funcionan mejor cuando ponen algo de su parte. Hay demasiadas mujeres que no entienden eso. Puede que si supieran cómo te sientes o simplemente lo que se pierden, tal vez cambiarían de opinión. Pero a ellas qué más les da, ellas van a lo que van.

Rita se acerca a la mesa sonriente, caminado enérgica y feliz de volver a verte. Te levantas y os dais dos besos, como siempre. Aún después de tantos años seguís sin perder las formas. Os sentáis y ella se interesa por ti. Tú le hablas de la ministra de Demografía y alguna otra cosa que viste en la televisión, ella te da más o menos la razón mientras echa un vistazo a la carta y menciona algo de su empresa. Entre tanto saca un paquetito del bolso, una cajita envuelta con un papel naranja y un lazo violeta que te resulta extrañamente familiar. Sufres la incómoda sensación de que ese regalo no es para ti y por un instante te olvidas de lo que te está contando. De repente irrumpe la camarera:

—¿Saben ya lo que van a tomar?

—Sí, yo de primero tomaré ensalada de erizos —dice ella.

—Sí, yo también.

—Y de segundo una merluza…

—Yo voy a tomar el rape.

—¿Y de beber?

—Una botella de Lecer de Breogán.

«Rape». No es que te guste especialmente ni el rape ni ningún otro pescado, solo has dicho «rape» porque sabes que lo tienen y porque pronunciarlo es más inmediato que decir «lubina», o «merluza». Tener la sensación de no poder pedir carne es el único punto agrio de tus citas con Rita, siempre que sales a comer fuera con cualquier otra compañía estudias bien la sección de carnes de la carta y aprovechas un tiempo prudencial para desarrollar apresuradas e impacientes meditaciones, abriendo tu apetito a medida que desenvuelves pensamientos, porque no todos los días puedes comer carne de verdad, rosada por dentro, jugosa y tierna, radicalmente distinta a la que dan en el centro, esas milanesas blancas que no se sabe si son de pollo o de otro animal, que solo tienen sabor a algo cuando el rebozado lleva ajo y perejil. Pero a una persona tan elegante como Rita podría parecerle poco sofisticado que su acompañante coma un buen pedazo de carne, o eso es lo que pensaste el día que la conociste, el día de vuestra primera cita. Rita es genial y no quieres correr el riesgo de decepcionarla solo por un entrecot.

El paquetito naranja te desconcierta, jurarías haber recibido uno igual hace aproximadamente un año, aquí mismo, en el Zenit, también con Rita. Aunque ella no es de esas mujeres que hacen regalos sin fijarse, solo por cumplir. Vosotros tenéis una relación especial, seguramente lo habrá comprado en la misma tienda, pero será otra cosa. Seguro que no hay de qué preocuparse.

Miras a tu alrededor y reconoces a otros galanes, todos jóvenes, seguramente serán unos Fernández o García o incluso puede que Hernández. Todos con su pelo moreno y rizado, sus chaquetas azul marino, sus mismos gestos, su misma sonrisa, su misma manera de reír las gracias, sus mismos chistes, su misma condescendencia… En el centro es difícil distinguirlos, pero cuando salen de cita es imposible. Al fin y al cabo son clones entrenados para comportarse de una determinada manera. En el comedor también hay familias cenando, madres e hijas, bebés... Solo esperas que hayan traído biberón y que respeten la señal de «prohibido mamar», este es un sitio con clase, hay que mantener las formas. También hay un hombre mayor, un anciano rodeado por las suyas, adorado, con sus arrugas en el cuello, sus ojeras, su piel de árbol, su calva, sus manchas en la cara, sus muecas seniles... Algún día todos los que vivís en el centro seréis viejos como él, pero no habréis tenido la posibilidad de crear una familia, vosotros estaréis solos. Cuando salgas del centro ya serás demasiado mayor. ¿Quién va a querer hacer familia contigo? ¿Rita? Te gustaría, pero ella no piensa en eso, lo sabes. No por el momento.

—Sí, el recorte del presupuesto para los centros varoniles es exagerado, y lo que dan por las pensiones de minusvalía de fecundación es ridículo, tienes razón. Pero, cariño, tú por suerte me tienes a mí —dice arrastrando hacia ti el paquete naranja—. Ábrelo.

Abres el regalo y con horror descubres que es exactamente el mismo colgante que ya te había regalado, el de Max Luton, aquel que se había puesto de moda hace un par de años.

—¿Te gusta?

—Sí, me encanta.

—Señora —dice la camarera, que ya viene con el vino.

—Oh, sí —contesta Rita cortésmente, desatendiéndote.

Le sirve una muestra, ella lo huele, le da vueltas y lo prueba.

—Mmmm... Este vino es increíble. Pruébalo.

La camarera te echa un poco a ti, lo pruebas, no te gusta mucho el vino blanco, pero este no está mal. Además, el vino es vino.

—¿Qué? ¿A que está bueno?

—Sí, está muy bueno —comentas con una exagerada satisfacción.

—Bien. Está bien —le dice a la camarera riéndose—. Entonces qué, ¿te gustó el colgante? Es de Max Luton, ¿a que es muy sofisticado?

—Sí, sí. Es genial, me encanta —dices, mientras la camarera termina de serviros.

—Bien, porque si quieres se puede cambiar.

—No, no, me gusta mucho. De hecho me lo voy a poner ahora.

—¡Bien!

Te pones el colgante y ella sigue hablando de su trabajo y de sus vecinas de arriba, te cuenta un montón de anécdotas y te explica todos los motes que le ha puesto a toda esa gente de su entorno. Tú le ríes las gracias; ya que estamos, es mejor pasar un buen rato.

A pesar de todo, no eres capaz de centrarte, el desengaño te distrae. Miras a tu alrededor y te preguntas a cuántos de ellos Rita habrá regalado el dichoso colgante de Max Luton, a cuántos les habrá venido con sus mismas bromas, con su mismo encanto.

En la mesa del anciano una madre da el pecho a su hijo. Qué desfachatez, en tu presencia, en un restaurante de citas. La gente se arregla especialmente para venir aquí y ella dando el pecho. A veces piensas que no todo el mundo merece una familia. Miras al anciano impasible y piensas que la suerte de ser viejo es que te puedes permitir ese lujo.

Al final de la cena estáis los dos borrachos riendo por cualquier tontería, tú ya actúas exactamente como lo harías en otra velada cualquiera. Ella paga y salís del restaurante. En la calle le suena el móvil.

—Espera un momento, es del trabajo —te dice antes de contestar al teléfono—. Dime...

Siempre que alguien llama a Rita, ella habla en voz exageradamente alta para que escuches la conversación, te hace muecas y se ríe, pero cuando es del trabajo se aparta a un lado. Así que ella te extiende un cigarro y se va. Te guardas el cigarro en el bolsillo y la esperas apoyado bajo una farola. Hoy es viernes, así que hay algo de movimiento. Antes Rita y tú solíais salir por ahí a tomar algo y acababais en su casa. Ahora prefiere ir directamente a un hotel. Por una parte es mejor, siempre que te llevan a tomar algo alguien te dice alguna grosería o te acaba tocando el culo, y si protestas, te llaman machista de mierda o algo por el estilo. Eso hoy no te apetece nada.

Por la acera pasa una barrendera, una chica con rasgos orientales. De vez en cuando te mira mientras pasa el cepillo. Tú te quedas también mirándola y ella sonríe. Su uniforme oculta sus curvas, pero plácidamente aún observas la finura de su cuello. Lleva una coleta con doble nudo y al final de ésta unos mechones salen disparados, son fuertes y hermosos. Sus ojos, su nariz y su boca brillan como una única constelación en medio de la noche. Piensas que tal vez podrías decirle algo, cogerla por el brazo y escapar, amaros, formar una familia. Es toda una fantasía y valdría la pena intentarlo, aunque no le puedes hacer ese feo a Rita. Rita es Rita. Solo estás algo conmocionado, eso es todo. La mujer continúa barriendo y Rita vuelve.

—¡Hala! Ya está, parece que en la oficina no son capaces de entenderse unas con otras si yo no estoy por allí, pero tranquilo, todo solucionado. ¿Vamos al hotel?

En el hotel os tomáis unas copas y fumáis unos cigarros. A ella le gusta que fumes, te dice que pareces una estrella de Hollywood y que un verdadero hombre ha de saber a tabaco. Os besáis y ella te dice que esperes, que tiene que arreglarse. Tú pones música. Te descalzas y la esperas en la cama. Desde el baño se oyen dos secos siseos de un aerosol. No se había echado el espermicida. Al minuto vuelve descamisada y envuelta en un olor que está entre la manzana y el barniz.

2

El bloque donde vives consta de tres pisos, tres pasillos por piso y treinta habitaciones por pasillo. Lo que hace un total de doscientas setenta habitaciones. Tú ocupas la habitación número 12 del pasillo 2 del primer piso.

Como cada día, el despertador suena a las nueve, te levantas, te lavas la cara y sales de tu cuarto para desayunar. Justo enfrente de tu puerta hay un cartel que dice: «Te necesitamos, tú eres la clave, ellos el futuro». En él hay una foto de unos niños sonriendo y un pecho dando de mamar a un bebé. Odias toda esa publicidad. ¿De verdad es necesario que os lo recuerden todos los días?

Atraviesas el pasillo decorado con carteles propagandísticos y algún que otro óleo salido del taller de dibujo. Bajas las escaleras, saludas a la guardia y accedes al comedor donde te espera tu ración matutina de cereales, fruta y leche. Aún no ha bajado mucha gente, a nadie le gusta madrugar los lunes. Cuando acabas vas directo al pabellón de recogida. De allí viene Zacarías, sonriente, como todas las mañanas.

—¿Qué tal, tío? —le dices.

—Bien, bien. ¿Sabes que hoy hay inspección?

—¿Otra vez?

—Sí, esas enfermeras están locas por ver nuestros culitos blanquitos —comenta radiante.

—Yo no creo ni que sean enfermeras, seguro que solo son las amigas salidas de alguna concejala que se ponen la bata para mirar tíos en bolas.

—Tú y tus teorías conspiradoras.

—¡Venga ya! Tú eres el primero en quejarte por todo. ¡No me dirás que todo esto te parece normal!

—Define «todo esto».

—Que un grupo de enfermeras nos venga a vigilar cada poco para ver si hacemos bien nuestras cositas; que en vez de en una casa, vivamos en un centro de preservación; o el que la mayoría de los que viven aquí sean clones de la misma persona.

—Vaya, alguien parece que se ha levantado con el pie izquierdo —dice frenándote.

Sí, te has pasado, no está bien recordarle a un clon que es un clon. Pero es que te saca de quicio que todo el mundo normalice la situación, no dejan de aprovecharse de vosotros y nadie parece darse cuenta. Aunque después lloren.

—No seas tonto, ya sabes a lo que me refiero.

—Chorradas. El verdadero problema de este mundo es que…

—… debería haber más hombres —decís los dos a la vez.

—Exacto, todo lo demás son consecuencias de esa misma situación —te dice.

—Ya, ya, ya…
—Bueno, ya nos veremos en el almuerzo.
—Hasta luego.

Zacarías se marcha molesto. Nadie lo diría, pero tú sabes que sí, lo conoces bien, es tu mejor amigo. Siempre se levanta con un humor inmejorable, pero la mitad de los días acabas amargándoselo antes de la cena. Hoy lo has hecho a las diez de la mañana, debe de ser tu récord. Zacarías es muy sensible, no es fácil ser gay en un mundo en el que los hombres están en peligro de extinción.

Hay cierta cola para entrar en el pabellón de recogida, el último es *Buenas Tetas*, el más veterano de todos vosotros y, por decirlo así, el responsable de las actividades del centro. Se encarga de organizar todas las recepciones de visitas de personalidades, de gestionar los intercambios con otros centros y ese tipo de cosas. Ronda los cuarenta y cinco o cuarenta y seis años y es el hombre más viejo con el que hayas hablado nunca. Tu padre es mayor, pero la última vez que le viste aún no había cumplido los cuarenta.

Al colocarte al final de la fila, Buenas Tetas se gira y te echa una de sus miradas paternalistas y, aunque sus desorbitados ojos azul mate siempre te han puesto nervioso, le sonríes como quien lo haría a una entrañable viejecita. Sabes que vais a tener una conversación, algo que cualquiera trataría de evitar, no solo por su incansable empeño en tomar esa actitud proteccionista con todo el mundo —como si tuviese algo que enseñaros al resto, como si fuera una especie de guía espiritual—, sino que, además, pertenece a otro tiempo, a otro mundo. Él tuvo una verdadera vida fuera del centro, si entró aquí es porque quiso, todos los de su generación se fueron hace tiempo con una pensión más digna que la que vosotros cobráis y que la que cobraréis cuando os vayáis. Podría salir de aquí. Tiene dinero. Podría casarse y tener una familia, pero en vez de eso prefiere estar aquí con vosotros. Tú crees que su cabeza debe albergar la absurda idea de que está en una especie de misión caritativa en la que él debe ser el padre de estos huérfanos adultos.

—Hola —dices sin más.

—Hola —contesta con las manos entrelazadas y su permanente sonrisa monacal—. Hoy hay revisión —comenta en voz baja, buscando complicidad.

—Sí, eso parece.

—Estarán buscando algún clon poco fértil. Nosotros no tenemos por qué preocuparnos —dice esforzándose en empatizar, mirándote con sus dos huevos duros.

—Claro —dices esbozando una mínima sonrisa.

—Si no eres fértil estás mejor fuera, es mejor para todos. Ahí fuera hay muchas oportunidades.

—Sí.

—Los clones tienen el mismo ADN, así que saber cuál es el que falla no es tan fácil.

—Sí, claro —asientes de nuevo, intentando cortar sin ser desagradable.

El mote de Buenas Tetas se lo ganó el día que os visitó la ministra de Demografía. Él llevaba toda la semana insistiendo que teníais que mostrar buena educación, buenos modales y todo lo demás, ya que, como es costumbre en este tipo de eventos, él era el responsable, coordinador y encargado de recibir la visita. Cuando las personalidades llegaron se pusieron en fila para ser recibidas y Buenas Tetas pasó a saludarlas estrechándoles la mano una a una en representación de todos, para después dirigir una visita guiada por el centro. Mecánicamente, iba dándoles la mano a cada una de las invitadas, con una leve inclinación y un buenas tardes. Ellas hacían una fila como quien va a comulgar: buenas tardes, buenas tardes... Mientras, vosotros esperabais a pocos metros, apartados a un lado. Aún no se sabe qué provocó el lapsus, buenas tardes, puede que el escote de la ministra, o algún gesto obsceno de alguno de vosotros durante un acto tan comprometido, buenas tardes, pero cuando llego el momento de estrecharle la mano... Buenas tetas...

Tras unos minutos en silencio, las puertas del pabellón se abren para Buenas Tetas, poco después pasas tú. Allí hay una enfermera de mediana edad que te manda identificarte y te hace quitar la ropa; examina tu pene, consulta algo en su pantalla, te da un frasco de plástico, una toalla, y te dice que puedes seguir. Entras en un corredor solitario; en él, un impúdico jadeo se hace oír. Atraviesas el suelo cubierto por planchas de goma, te metes en el compartimiento que queda libre y corres la cortina. Las cabinas de deposición disponen de una pantalla por la que se puede acceder a material pornográfico, unos auriculares, paredes con obscenidades grabadas con la llave de la habitación de alguien y un taburete. La única razón por la que os mandan pasar desnudos los días de inspección es para que no llevéis muestras de fuera. Dejas la toalla sobre el taburete, en teoría no es para eso, pero a ver quién se atreve. Te colocas los auriculares y pones música a todo volumen; no tienes preferencias, solo lo haces por no oír los ruidos de los demás y concentrarte en cualquier cosa que te aleje de la imagen de Buenas Tetas masturbándose, encorvado y desnudo. Te sientas y te pones manos a la obra. Piensas en la chica asiática del otro día y te montas una pequeña historieta en la que ella se entrega a ti y después tú la haces disfrutar, te imaginas a aquella chica gozando, es un pensamiento feliz, aunque la excitación te lleva a pensar en Rita y en su cuerpo, en la última felación que te hicieron, en tetas, en alguna película porno y en que te follen estando tú debajo. Finalmente tu cuerpo se paraliza y tu mirada se queda clavada en un garabato de la pared:

«Aquí hasta el más maricón se corre». Cuando acabas cierras el frasco y te limpias el glande con el lado de la toalla que no tocó el taburete. Vuelves a la entrada, le entregas el frasco a la enfermera, te vistes y te marchas. Así es como justificas dos veces al día, todos los días, tu pensión y residencia.

Para terminar de aprovechar la mañana vas hasta el gimnasio. Es muy importante estar en forma, si no, pierdes caché y eso es muy difícil de recuperar. Unas abdominales, flexiones, pesas y un poco de bicicleta; una ducha y vas a la sala de televisión antes del almuerzo. Allí te encuentras con Zacarías, que sigue refunfuñado por vuestra discusión, así que no habláis mucho. Al acabar el telediario jugáis una partida a las damas, actividad que lleváis practicando de manera cotidiana desde hace ocho meses; después vuelves al pabellón para entregar la segunda dosis del día, echas una siesta y vuelves al gimnasio con la idea de jugar un partidillo de fútbol. Allí hay unos cuantos jugando al baloncesto y otro grupo alrededor de Juan y Bruno.

Juan es un clon con un carisma y una capacidad de liderazgo fuera de lo normal, lo reconocerías sin dudar de entre un millón de clones, tiene una mirada especial, nerviosa, casi criminal; Bruno no es un clon, es un armario de dos metros. Los dos son los cabecillas en cualquier cruzada, siempre que hay un desacuerdo en una discusión interna solo hay dos bandos: el de Juan y el de Bruno. Si los dos están de acuerdo en algo no hay disputa posible. Este no es el caso. Bruno aguanta una pelota de fútbol debajo del brazo.

—Es el último balón que nos queda —dice Bruno.

—El último balón es un balón como otro cualquiera —dice Juan respaldado por multitud silenciosa.

—Sí, pero hoy está Flora, y ya sabes que si se nos escapa nos quedamos sin él. Mejor ir mañana, que aunque se nos escape nos lo devuelven.

—No seas caguica, eso lo dices porque eres un torpe de mierda y la última vez que intentaste ir a buscar el balón te frió a descargas. Si no fueses tan mangallón te habría dado tiempo de cruzar la valla.

—Muy bien —dice Bruno serenándose—. Pero esta vez si se escapa la bola irás tú a buscarla. Me gustará ver cómo te llevan a la enfermería.

—Bien.

Todos salís a jugar; la mayoría de la gente del centro prefiere el fútbol al baloncesto, eso además de que os tenéis que preparar para cuando vengan los italianos. Todos los años vienen de un centro distinto, de intercambio, y lo propio es jugar un partido. Es una fecha muy importante para vosotros, es lo más parecido a un mundial masculino que habéis visto nunca, toda una competición internacional que lleváis dos años perdiendo. Esta vez no se os puede escapar.

Saltáis todos al campo de tierra y Juan y Bruno hacen los equipos: doce contra trece. Tú juegas en el equipo de Bruno, como siempre; no es nada personal, tú eres un buen centrocampista ofensivo, todo el mundo aprecia tu calidad, pero Juan prefiere a los clones.

A los pocos minutos de partido das un pase en profundidad a un clon que lo aprovecha y mete gol. A partir de ahí el equipo de Juan empieza a jugar duro, empujones, patadas y llegan más a puerta. A través de la verja ya se puede ver a Flora al acecho Siempre que os ponéis a jugar ella se planta ahí, observándoos con su cara de requesón, haciendo malignas muecas con su boca de piñón laureada por el bigotillo y coronada con esos ridículos dientes amarillos, su nariz más que aguileña, sus ojos saltones casi negros y sus cejas pobladas. Os vigila desde sus muslos siempre embutidos en el pantalón de reglamento y su tripa grotesca, escoltada por sus asfixiantes pechos de gorila bajo la camisa gris. Todo su ser parece estar esperando a estallar en una violencia desmedida.

Te pasan el balón en un contraataque, te queda largo pero tú corres, estás al borde del área, vas a llegar, pero el portero corta el pase y despeja echando el balón fuera del recinto. El campo se queda en silencio. Bruno se acerca a Juan, Juan mira al portero y le hace un gesto para que vaya a buscar el balón. El portero dice que no. Todos miráis al balón y después a Flora. Ella se ríe de todos vosotros mientras acaricia su porra electrificada.

3

Después de haber conseguido sacar su propio negocio a flote, llevado a la hija de su compañera por el buen camino, superar el trauma del aborto, discutido con una taxista que tenía la música demasiado alta y haberle gritado a un par de enfermeras, la valiente Melanie llega por fin a la sala de partos. Con ella se queda la amiga que durante toda la peli ha permanecido a su lado. Juntas sacarán la familia adelante.

—Vamos, respira, respira.

Mellanny respira y empuja, retorciéndose como un cochinillo rosado, suda como una fuente y tiene el pelo hecho un desastre.

—Vamos, empuja, empuja —dice su compañera cogiéndola de la mano, haciendo ella también los ejercicios de respiración.

—¡¡¡NO PUEEDOO!!!

—Sí, sí que puedes. ¡Vamos! ¡Empuja! ¡Empuja!

—¡Veo la cabeza! Ya casi está, un último esfuerzo, cariño —la anima la médico mientras tú no puedes evitar un resoplido por toda la sobrecarga de cordialidad del parto. Nunca una médico te ha llamado cariño, ni a ti ni a nadie que conozcas. La única persona que te ha llamado eso ha sido tu madre, y nunca precisamente con mucho cariño.

Por fin se oye el llanto.

—¡Es una negrita, una hermosa niña negrita! —dice la compañera de Mellanny.

La doctora entrega al bebé a su madre envuelto en una toalla; la niña entra en escena ya totalmente limpia. Hay unos cuantos primeros planos de la compañera sonriendo, la madre con el bebé y la doctora sonriendo también mientras se quita los guantes.

—Todo saldrá bien, ¿verdad? —pregunta la protagonista.

—Claro que sí, cariño.

De repente aparece la sobrina adoptiva rehabilitada que tantos problemas ha dado a lo largo de la película, entra y abraza a su madre.

—¡Oh! Es preciosa. ¿Cómo se va a llamar?

—Jennifer, como la abuela.

—Bienvenida, Jennifer —dice la hija en un suspiro entusiasta y absolutamente dramático.

Se alza la música, un plano general de la habitación en el que se ve a toda la familia adorando al bebé, un primer plano de la compañera sonriendo, otro de la hija sonriendo y otro de la madre con su bebé; entonces se congela la imagen y empiezan a caer los títulos de crédito y cortan para dar entrada a la cabecera de las noticias. Parece ser que se ha estrellado un avión en Canadá. Salía de Ottawa con destino a Nueva York, en él viajaban ciento cincuenta y seis personas de las cuales dos eran hombres: dos hermanos de permiso para visitar a su hermana que estaba de cumpleaños. La siguiente noticia es que la ministra de Demografía ha anunciado un nuevo recorte en los presupuestos para centros de preservación; también citan que la tasa de nacimiento de niños varones ha aumentado un 0,15 %.

Todo te asquea y apagas la televisión. No tienen suficiente con todo ese rollo sensiblero lésbico, sino que además te quieren justificar con datos por qué os andan machacando gratuitamente. La cabrona de la ministra de Demografía os está dando duro. Al principio la gente os defendía, les caíais bien, erais la esperanza de la humanidad; ahora os tachan de prostitutos y os llaman vagos y machistas por pretender dejar el centro y hacer libremente vuestra vida, salir fuera, buscaros un porvenir, trabajar en algo, tener una casa, una novia o lo que sea; ir a cualquier parte y poder estar solos, controlar vuestras vidas, salir del centro. En estos últimos diecisiete años se ha parado el tiempo para ti: el mismo comedor, los mismos tres restaurantes, las mismas caras, la misma fiesta de Navidad con las mismas canciones, las mismas bebidas, el mismo partido anual contra los italianos... Esos sí que cambian, cada año vienen unos distintos, de distintos centros. En Italia sí que se lo montan bien, los centros se van una semana al año de vacaciones, todos juntos, visitan centros de otros países y hacen turismo. Vosotros solo tenéis tres días de permiso al año, por lo que no podéis ir muy lejos. Sales un día por la mañana y vuelves dentro de dos por la noche. Eso no os da mucho tiempo para viajar. Tú sueles optar por ir a alguna ciudad cercana con Zacarías y algún que otro compañero a emborracharos un par de días seguidos y se acabó. Lo más lejos que habéis ido ha sido a Madrid, una visita al Prado y una noche de juerga. No valió la pena. Lo mejor es irse a algún sitio cerca y aprovechar el tiempo. Coger una cogorza es también una pérdida de tiempo, una manera de que todo siga estancado un poco más. Si no fuese por Zacarías, por su debilidad, por su dependencia de ti, y porque, al fin y al cabo, es el único amigo de verdad que tienes, te tomarías esos tres días de una manera distinta, estarías solo o harías turismo en serio. Te gustaría subir una montaña, pasar la noche en el bosque o algo similar, estar solo y escuchar la naturaleza. Quieres saber qué es eso, has oído esa expresión muchas veces, pero no sabes qué significa. Escuchar la armonía de la naturaleza, sentarte ahí y dejar que todo fluya, ser uno con el medio, dejar que todo te envuelva y no volver jamás, o plantarte en los acantilados de Irlanda y dejarte atravesar por el viento del Atlántico, cualquier cosa con tal de estar lejos de la gente del centro, separado de las caras conocidas.

Necesitas limpiarte de todo eso, incluso necesitas descansar de Zacarías. Ver, aunque solo sea por un momento, la vida pasar en alta definición, sin cortes ni intromisiones. Tristemente, el único lugar en el que has conseguido encontrar un hermetismo satisfactorio es en tu habitación, la 1212, un lugar estéril en el que nada parece fluir.

Zacarías entra en la sala con unos andares respingones, típicos de sus despertares más optimistas que, casualmente, suelen coincidir con tus mañanas más ásperas. Te da lástima, tan digno y tan pobre. Si fuese mujer tendría las cosas fáciles, sería una afortunada. Viviría en una casa con otras mujeres y haría el amor liberalmente con quien le diese la gana, sería una artista, una intelectual. Escribiría uno de esos tratados feministas tachándoos de irracionales, de salvajes, afirmando que la naturaleza ha decidido restringir el número de individuos con cromosoma XY porque son perjudiciales para la especie y el planeta entero; que desde que el mundo está dominado por mujeres no hay guerras, ni grandes bandas criminales, ni tercer mundo, ni SIDA ni enfermedades venéreas, ni residuos no orgánicos, ni calentamiento global, ni caza de ballenas, ni apaleamiento de focas, ni corridas de toros... También reservaría un par de capítulos para hablar de la liberación religiosa de las mujeres, de la profecía de San Malaquías y del nuevo orden, del burka, de las judías afeitadas, de las violaciones, del proxenetismo, del tráfico de personas, de la presión social por exigir un ideal de belleza, de la anorexia, de la bulimia, de los pechos de silicona, de las amas de casa encerradas en sus cocinas, del desigual reparto de los sueldos y de otros viejos estigmas de las mujeres… Y, posiblemente, acabaría diciendo que la heterosexualidad femenina es una convención machista impuesta desde siempre, que la verdadera sexualidad es la femenina y que no entiende de sexos, que eso que los hombres llaman deseo sexual no es más que un instinto primitivo marcado por la testosterona, un lastre genético más no apto para sociedades civilizadas. Si le preguntasen su opinión sobre los hombres homosexuales dirá que un hombre es un hombre, se vista de lo que se vista.

—¿Qué tal la mañana?

—Aquí dentro, como todas —contestas bajando un par de puntos el volumen del televisor.

—Sí, aquí dentro —dice sentándose a tu lado—. ¿No has bajado al gimnasio?

—No, hoy no me apetecía —dices con cierta brusquedad. Después remontas el tono y continúas decidido a involucrarte en una conversación—. ¿Sabes que quieren volver a bajar los presupuestos de los centros de preservación?

—¿Ah, sí?

—Sí.

—Bueno, habrá que apretarse el cinturón. ¿No? —dice con media sonrisa.

Zacarías lleva una vida austera y las mejoras del centro no le suelen alterar su rutina. No se ofrece a citas y no recibe regalos, vive solo de la pensión, de la comida que sirve el centro y de alguna que otra fantasía. Para él esto es más un hogar que para cualquier otro.

—No sé por qué te da igual todo. Debería importarte, deberíamos vivir mejor —le recriminas.

—Yo siempre he vivido igual, a veces suben el presupuesto y a veces lo bajan. Pero yo siempre he vivido igual —repite.

—Pero ¿no te gustaría vivir mejor?

—A todo el mundo le gustaría vivir mejor, pero lo que yo necesito para vivir mejor no me lo va a dar un presupuesto —dice enmarcando la expresión de su cara.

—Siempre estás con lo mismo, las cosas no son así.

—¿Ah, no? ¿Y cómo son?

—Hay más como tú. ¿Qué me dices de Sergio?

—Por favor...

—¿Qué pasa?

—Somos clones, eso sería una degeneración.

—¡Venga ya! Solo tenéis que hacer... —dudas qué decir y decides no arriesgarte, no sabes si lo de la sodomía es una práctica normalizada para los gays o una exageración, si se besan, se hacen pajas o se chupan las pollas; si se las andan rozando unas contra otras, no tienes ni idea—, solo tenéis que hacer lo que quiera que hagáis los gays. No es como tener un bebé —acabas por sentenciar.

—No digas tonterías. ¿A ti te gustaría enrollarte con un doble tuyo?

—Ni con un doble mío ni con ningún otro hombre.

—Vete a la mierda, ¿tú te lo harías con tu hermana? Pues es lo mismo.

—Pues a lo mejor me lo haría con mi hermana. ¿Tú que sabes?

—Claro, te lo harías con tu hermana, quien no se lo haga con su hermana es un remilgado —dice sacudiendo la cabeza con sarcasmo.

—No lo sé, ¿lo es?, ¿tienes hermana?, ¿sabes lo que es eso? Yo no tengo ni idea de lo que es. A lo mejor le podríamos preguntar a alguien. Sí, podemos ir a preguntarle si se follaría a su hermana a... Oh, espera un momento, no conocemos a nadie en este puñetero centro que tenga una hermana. Nadie tiene hermanas, ni aquí ni en ningún lado.

—No vuelvas con lo de los bebés cambiados al nacer.

—Es verdad, si no ¿qué sentido tiene?

—Mira, me da igual. Además, es un Hernández y yo soy un Fernández.

—Sí, y yo soy el capitán Haddock.

—Le saco ocho años, sería como hacérmelo con un yo adolescente del pasado o algo por el estilo —dice quejándose.

Os quedáis los dos callados, otro de esos silencios en los que acabas sintiéndote culpable, no lo vas a permitir, hoy no; el muy imbécil solo se compadece de sí mismo pensando en lo injusta que está siendo la vida con él y no hace nada para cambiarlo. Se comporta como si el resto estuviéseis en una situación mucho mejor que la suya; a fin de cuentas todos estáis encerrados, pero él actúa como si ese no fuese el problema. Le dan igual los recortes de presupuesto, que no tengáis voz, que tres votos nuestros valgan por uno de ellas; le parece de lo más normal que todos los varones que nacen sean traídos al mundo por una madre comprometida con la ideología feminista más radical y que nadie rechiste al entregar a sus hijos en centros de educación para pre-internos. Tú entiendes que lo de las dosis de esperma al día sea necesario, pero teneros encerrados como aves de corral te parece algo fuera de lugar. Dicen que es para garantizar vuestra seguridad y buena salud en vuestra edad más fértil, que cada joven que muere es un pequeño paso hacia la extinción; por lo que la muerte de esos dos hermanos canadienses no os ayuda nada.

—Escucha, ¿y por qué no vas a una cita? Con hombres, me refiero.

—Los hombres de afuera tienen todos de setenta para arriba, para eso me lo hago con una tortuga. Además, ya sabes que eso aquí no está precisamente bien visto. No voy a arriesgarme a que me pierdan el respeto por un viejo verde.

Tiene razón, son todos unos viejos verdes y la humillación podría ser brutal. No sería la primera vez que alguien se lleva una paliza por eso. Incluso aún se habla de la historia de David Castro, que después de sufrir un buen número de vejaciones decidió amputarse los testículos para poder dejar de ser residente. Desde el ministerio decidieron doblar el número de guardias por centro para evitar este tipo de problemas.

—Ah, se me olvidaba —dices intentando mantener la cordialidad mientras sacas del bolsillo el cigarro que te guardaste la última noche.

En el centro se puede fumar, aunque no venden tabaco, así que siempre que te dan algo se lo pasas a Zacarías, que solo puede comprar los días de permiso. Siempre esperas a dárselo al momento más oportuno, nunca llegas y se lo das sin más. Él ni siquiera se traga el humo, pero le gusta fumar.

—Oh, gracias, me lo guardo para después de comer —dice satisfecho, parece que la estratagema ha hecho efecto.

—Oye, es solo para ganarte un dinero —comentas volviendo al tema—, piénsalo. Algún día te harás mayor y no podrás seguir aquí, perderás la pensión. No te vendría mal tener algo ahorrado. ¿O te crees que a mí me gustan todas las tías con las que me voy?

—Mira, déjalo. Tú por lo menos tienes a Rita. Puede que cuando salgas de aquí te cases con ella o con cualquier otra. Yo voy a estar solo, ¿entiendes? No tengo ningún plan, por mí me quedaría en este centro toda la vida porque ahí afuera no me espera nadie, ni padres ni novias ni amigos ni nada —dice impetuoso—. Por eso me da igual lo que diga la ministra de Demografía. Me da igual todo porque no tengo destino ni futuro. Para mí lo único importante es que vuelva a haber tantos hombres como había antes, porque esa es la razón por la que me trajeron al mundo y porque cuando eso pase todos seremos más libres, la humanidad entera, especialmente los tipos como yo.

—Ya, ya...

—¿Has visto que ha subido la tasa de natalidad masculina?

—Un 0,15%, eso no significa nada, aquí sube un 0,15%, en Francia baja, en Canadá hoy dos chicos menos.

—¿Y eso? ¿Qué pasó?

Le cuentas la noticia, seguís hablando un rato sobre la última vez que salisteis de permiso, los dos os reís, aunque tú lo haces con cierta amargura. Después te diriges al pabellón de recogida, justo cuando vas a entrar sale un clon con un colgante de Max Luton. Hoy vas a necesitar un poco de porno para cumplir con tu deber. Acabas y vas a tu habitación, te pegas una ducha y te sienta bastante bien, el día no se acaba después de una mañana deprimente. Al salir del plato te miras al espejo. Estás en forma, tienes unos buenos hombros y se te notan ligeramente los abdominales, no estás hinchado... Estás estupendo. Eres guapo, eres diferente y te das cuenta de lo que está pasando.

No eres uno de esos clones superfluos, tú sabes por lo que hay que luchar, sabes lo que es vivir fuera; algún día tu vida será distinta y tal vez puedas ayudarlos. Te miras y piensas que la barba de tres días te queda bien, estás pensando en empezar a recortártela. Tú eres distinto.

Sobre una esquina del espejo pende conspirando, como un maligno y familiar insecto, el colgante de Max Luton.

4

La primera clonación de un ser humano conocida tuvo lugar en Indonesia. El individuo fue concebido bajo el nombre de Junior Dunivant, quien heredó el ADN y apellido de su «inventor», el científico americano Michael Dunivant. Aunque Michael y Junior siempre mostraron una estupenda relación padre-hijo que a lo largo de los años fue enamorando a todo el planeta, los inicios estuvieron marcados por despiadadas críticas y por el rechazo social. Junior vio la luz hace setenta y ocho años, en 2003. Por entonces la tasa de natalidad masculina mundial había bajado hasta el 35% y el doctor Dunivant encontró en la clonación un remedio para la crisis que se avecinaba. Por otra parte, meses antes de su nacimiento, la oveja Dolly pasó a mejor vida al sufrir un cáncer de pulmón. Aquello acentuó terriblemente los prejuicios de la humanidad sobre el debate de la clonación humana y el logro del doctor Dunivant. Los medios de todo el planeta se apresuraron a referirse al experimento como «un avance diabólico» o, directamente, una «monstruosidad». Dunivant fue repudiado por la comunidad científica, por la opinión pública y por todas las religiones, llegándose a ganar el apodo de Doctor Moreau.

En 2008 la tasa de natalidad masculina mundial descendió hasta el 3%, por lo que se convocó clonación de seres humanos bajo la supervisión de un organismo internacional. El doctor Dunivant coordinó el proyecto. Se instalaron centros de clonación en la mayoría de países occidentales. Las primeras remesas de clones producto de donantes anónimos fueron un éxito. Todo el mundo se veía inundado de esperanza, la humanidad podría seguir adelante, solo las instituciones religiosas condenaron a estos nuevos niños-réplica de la ciencia. Las televisiones se llenaron de imágenes de los varones recién nacidos, los gobiernos empezaron a invertir seriamente en el proyecto, se ordenaron bonos comprometidos específicamente con la causa, se organizaron campañas de donación a través de cuentas bancarias, por SMS, unas monedas en la calle a cambio de una pequeña insignia, todo a favor de la clonación. Atletas, artistas y personalidades de todo el mundo donaban sus células madre por el bien de la humanidad.

En 2011 la TNM (Tasa de Natalidad Masculina) mundial alcanzó unos valores por debajo del 1%, aunque eso ya no importaba mucho, el futuro estaría garantizado por los hombres del pasado. Tan solo en la isla de Irlanda la TNM se mantuvo siempre por encima del 30%. Aunque por aquel entonces ese era un dato poco más que anecdótico, se pensaba que tarde o temprano este valor se equipararía al del resto del mundo.

Las primeras generaciones de clones fueron dadas en adopción a familias voluntarias, fueron a colegios normales y cada cual decidió su futuro: unos escogieron casarse y formar una familia; otros prefirieron ganarse placenteramente la vida en un mundo en que el sexo impreso en la tarjeta de visita; y otros, sencillamente, no decidieron gran cosa. El número de clones era insuficiente: por cada clon no se inseminaba ni a una mujer de media. El plan Dunivant comenzó a ser cuestionado. Se esperaba una prosperidad mucho más inmediata, mucha gente pensó que el plan de usar a los clones podría ser algo pasajero, que el mundo se llenaría rápidamente de jóvenes hermosos y brillantes, aunque lo cierto es que la población ya había empezado a envejecer notablemente.

En 2033 los clones fueron internados en centros de preservación junto a otros voluntarios varones que recibirían una pensión a cambio. Allí se garantizaban extracciones diarias y un cuidado genital, exprimiendo de cada hombre el máximo número de inseminaciones. Desde entonces cada centro ha repartido aleatoriamente botes de esperma por todo el globo con el fin de conseguir una conservación de la raza alejada de la endogamia y añadirle, también así, cierto misterio a la concepción. Las madres de todo el planeta presumen de los exóticos rasgos de sus hijas.

Los países reacios al plan Dunivant no tardaron en seguir el ejemplo de los occidentales. El mundo continúa envejeciendo, aunque es optimista: una sociedad concienciada que educa a sus hijos varones para que acaben siendo donantes de semen.

Michael Dunivant murió el 7 de mayo de 2036. Esta fecha queda constatada como el Día Internacional del Clon.

En 2042 el ingreso en los centros de preservación de los varones no clonados acaba siendo obligatorio a partir de los dieciséis años, tras el pase previo por una escuela de pre-preservación a los diez. Los clones nacen ya internos y son educados con base en la experiencia de Junior Dunivant con su padre. Las primeras generaciones hacen de tutores de las últimas. Los Dunivant se convierten en un símbolo de prosperidad para las comunidades clon.

Así, según fueron pasando los años y las décadas, las remesas de clones fueron cada vez más frecuentes. Cada centro trabaja con uno o dos modelos para clonar; los individuos por camada varían según el centro, aunque lo normal es que estas abarquen entre quince y cincuenta sujetos. Todo custodiado bajo los debidos controles de seguridad.

Las medidas de vigilancia se han vuelto cada vez más estrictas, las libertades también se han visto mermadas y los hombres tienen menos días para salir del centro. Desde 2045 ningún hombre puede abandonar su país sin un permiso especial.

Los varones se han convertido en valiosísimos recursos naturales y hay que cuidar de ellos. Son muchos los que intentan salir del continente a las Islas Británicas, desde Gran Bretaña es fácil llegar a Irlanda.

La única actividad económica que aún se le permite ejercer al hombre es la prostitución. Unos más y otros menos, pero casi todos la ejercen, aunque es algo a lo que formalmente se le llama «tener citas», y «dandis» a quienes la ejercen. Es la única manera de conocer mujeres y salir del centro de vez en cuando.

Lo cierto es que cada día tenéis menos derechos, ganáis menos dinero y estáis más desocupados. Hoy hay un debate en el que discutiréis cómo administrar los presupuestos de este año. La asamblea estará, como siempre, presidida por Buenas Tetas, que actuará como moderador, aguardando en un ceremonioso segundo plano a que la sala se llene, dedicando a quien se cruce con él su característica sonrisa de labios apretados. Su serena mueca tan paternalista, tan vulnerable.

El salón de actos es una pequeña habitación cuyo suelo se ve levemente inclinado hasta recuperar la sobria horizontalidad al llegar a un ridículo altillo construido con tablones de eucalipto (obsequio de los chicos del taller de carpintería) que cubre el primitivo y doblemente ridículo altillo de hormigón. Sobre él se han colocado unas sillas y una mesa del comedor. Al fondo se puede ver una foto del doctor Dunivant y de Dunivant junior, ya en edad madura. Flora y otra guardia pasean por la sala.

Son las cuatro y media, la estancia está hasta arriba de diferentes generaciones criadas y alimentadas con leche en polvo. Juan y Bruno están sentados en las filas centrales, a su alrededor todos ríen y gritan como niños en el patio del colegio, como si ellos dos emanasen algún tipo de aura de excitación y nerviosismo. Este es un momento importante, es vuestra oportunidad para cambiar las cosas. Ya has hablado con Buenas Tetas sobre tu idea de no aceptar los presupuestos: una huelga de servicios de citas, una huelga de hambre o incluso de extracciones de semen son algunas de tus propuestas. Si sois tan valiosos para la nación, que se empiece a notar. Es una pena no poder coordinar una revuelta por centros de todo el país, pero no podéis comunicaros con el exterior; todo el correo es revisado por el ministerio de Demografía. Tampoco podéis hacer llamadas ni tenéis internet; aunque si lleváis a cabo una huelga, apareceríais en la televisión y centros de todo el país podrían seguir vuestro ejemplo. No os pueden tratar así...

Buenas Tetas sube al altillo sosteniendo una carpeta entre sus manos y se queda ahí expectante hasta que se hace el silencio en la sala.

—Buenas tardes —empieza diciendo.

—¡Buenas Tetas! —grita alguien desde el fondo saludando con la mano. Toda la sala suelta una risotada rápida, como en lata. Es fácil desacreditar a Buenas Tetas y casi todas las asambleas empiezan así.

—Estamos aquí reunidos con el motivo de planificar la administración de los presupuestos para el próximo año 2082. Como ya sabéis, los presupuestos estatales se han visto reducidos un año más —dice acentuando estas tres últimas palabras, echándote una mirada de complicidad—. Así que parece que tendremos que apretarnos el cinturón, a no ser que se nos ocurra otra idea, claro.

—¿Y qué propones, viejo? ¿Que hagamos un fondo común? —suelta Juan con una entonación insultantemente sarcástica. Seguidamente se le suman las voces de los incondicionales:

—¡Yo no voy a poner dinero por nadie! ¡Mi dinero es mío!

—No pienso gastar el dinero de mi jubilación en cuatro pijadas. ¿De qué vas, viejo?

—...

—No, nadie ha dicho nada de eso —dice Buenas Tetas intentando mantener una supuesta dignidad—, solo digo que podríamos declararnos en huelga.

Muy bien, aquí se acabó todo. Te llevas las manos a la cabeza, no era así como lo teníais planeado. El «Vale, tú dices las formalidades que tengas que decir y me das pie para que suba a hablar y el resto ya me lo dejas a mí» parece que no le ha quedado lo suficientemente claro a vuestro anfitrión. Ahora ya los tenéis en contra de antemano. Los de Bruno también se suman a tomar parte en el catastrófico debate.

—¿Declararnos en huelga? ¿Qué somos, bolcheviques?

Más risas en lata. Flora y la otra guardia también sonríen. Tú piensas que tal vez sí que os convendría ser bolcheviques.

—De acuerdo, calmaos, calmaos —dice Buenas Tetas echándote una breve mirada como diciendo «bueno, al menos lo hemos intentado»—. Lo que sí debemos hacer es reducir gastos. Tenemos quince mil euros menos que el año pasado. Habrá que recortar un poco de aquí y otro de allá. De los talleres, del material deportivo, de las festividades...

—De talleres. Quitamos de los talleres. Del de carpintería, que siempre andamos comprando herramientas y materiales. Eso es una pérdida de tiempo y dinero —comenta alguien.

—¡Eso! Y el de fontanería y circuitos —añade otro—; no sé por qué tenemos que hacer todas esas chorradas.

—Es importante, es vuestro futuro. Cuando salgáis de aquí ¿en qué pensáis trabajar? Los talleres os acreditan como profesionales.

—¿Cuánto cuesta mantener el taller de carpintería? —pregunta Bruno.

—Es vuestro futuro... —ruega Buenas Tetas.

—¿Cuánto?

El moderador busca torpemente entre las hojas de una libreta que tiene sobre la mesa hasta que se detiene en una.

—Doce mil euros —pronuncia desalentado.

La sala estalla, dejando escapar la condensación del júbilo retenido.

—Con ese dinero podríamos comprar más balones y botas nuevas —dice Bruno.

Buenas Tetas comenta algo, pero no se le oye.

—Sí, los italianos vienen el mes que viene y no tenemos balones —afirma alguien.

—No hay más que hablar. Suspendemos el taller de carpintería —dice alguien más.

—Oye, viejo, ¿cuánto cuesta mantener el taller de fontanería y electrónica?— pregunta otra voz.

Ya has oído suficiente, no tienes nada que hacer ahí, te levantas y hasta la silla rechina con saña. Las voces, cada vez más estridentes y desordenadas, haciéndose eco entre las paredes de cemento entre las que te escabulles, como un ratoncito de campo.

Al salir cierras la puerta y el vocerío se transforma en murmullo. Vagas por los pasillos del centro, asimilando sosegadamente esta nueva decepción. En la segunda sala de estar encuentras a Zacarías fumando un cigarro mientras lee unas revistas. Él nunca asiste a las reuniones, en su opinión son una pérdida de tiempo porque son solo unos pocos los que deciden. Tan derrotista como siempre, aunque realista.

—¡Oh! Ya estás aquí... ¿Qué tal ha ido la reunión?

—Siguen hablando. Van a suspender el taller de carpintería.

—Oh, vaya. ¿Y cómo se han tomado tu propuesta de huelga?

—Nada, ni siquiera he podido hablar.

—¿Cómo ha sido eso?

—Ha sido culpa de Buenas Tetas, en vez de dejarme hablar empezó él con que había otras opciones, con que podíamos hacer huelga. Como si fuese idea suya, ya sabes.

—¿Y?

—Que nadie se toma en serio a ese tío, basta con que él diga algo para que quieran hacer lo contrario.

—¿Y no dijiste nada en toda la reunión?

—No.

—Menudos revolucionarios estáis hechos... ¡Castro y el Ché! —dice volviendo a la revista.

Puede mofarse todo lo que quiera, no hay réplica posible, sabes que tiene razón. Tú siempre hablas mucho, pero hoy se te ha presentado una ocasión para hacer algo y te has rajado a la mínima. Como no hace falta que nadie profundice más en el tema te callas.

—Por cierto, alguien vino preguntando por ti.

—¿Quién?

—No sé, me dijeron que si te veía, que te dijera que pases por recepción.

—Bueno, voy a mirar —dices, ya camino hacia la entrada.

—¡Y viva la revolución! —exclama Zacarías desde el fondo, poniendo acento cubano.

Las visitas suelen ser clientas, rara vez son otra cosa; no es lo normal, sin embargo a veces desean conocerte antes de una cita. Aunque también podría ser Rita, que por alguna razón quiera darte una sorpresa. No es algo que pase muy a menudo, pero por eso le llaman sorpresa, ¿no? Desde luego tus padres no van a ser, casi no llaman por teléfono y mucho menos van a venir a verte de repente un día sin avisar. Fuera no conoces a nadie más, así que no se te ocurren otras opciones. La guardia de recepción es una mujer gorda y borde, con los ojos negros, muy juntos, unos ojos que no dicen nada, que no parecen ver nada más allá. Siempre está viendo la televisión en un aparato pequeño que se trae de casa.

—Hola, ¿me buscabas?

Aparta un momento su rostro inexpresivo del televisor y enseguida vuelve a mover lentamente el cuello para mirar hacia él.

—Te esperan arriba —dice con una voz nasal de megafonía.

—¿Arriba, dónde?

—En tu habitación.

—¿En mi habitación?

—¿Qué pasa? ¿No escuchas cuando te hablan? —pregunta sin mirarte a la cara—. Sí, en tu habitación.

—¿Pero quién es?

—Yo qué sé. Una madre y una niña. Tú sabrás.

Subes a tu habitación preguntándote de quién se tratará y cómo es posible que dejen entrar a cualquiera sin ningún tipo de registro, identificación o garantía. No sería la primera vez que alguien atenta contra un centro de preservación y sus residentes. Además, que haya venido una niña te desconcierta. Nunca ha entrado una menor en el centro, o por lo menos no que tú sepas. A pesar de las negligencias en el control de seguridad, el hecho de que haya venido una niña ha avivado tu imaginación. ¿De quién se puede tratar? Solo se te ocurren dos cosas. La primera es que sea alguien con quien hayas estado en alguna cita y venga a reclamar la paternidad de la niña. Ya ha pasado más veces, no es algo tan raro. Siempre has usado espermicida en tus relaciones, o mejor dicho, siempre han usado espermicida en tus relaciones, aunque no hay que dejar de estimar la posibilidad de error, un uso indebido o una deficiencia en el producto puede dar lugar a un embarazo, en cuyo caso se le exigen obligaciones al padre, una pensión de manutención y ciertas responsabilidades con la niña, que básicamente se reducen a hacer de niñera. Normalmente la gente se suele tomar esta noticia con cierto desagrado, pero a ti te encantaría que te pasase eso, incluso has fantaseado antes con la idea.

La otra posibilidad es que se trate de algún pariente que hace demasiados años que no ves como para que te importe, que tenga ganas de sentirse bien haciendo una buena acción, como visitarte y presentarte a su hija y hablar de cuatro tonterías.

Llegas a tu pasillo. La luz entra a través de la ventana que dobla la esquina, haciendo del suelo enlosado una superficie dotada de un deslumbrante resplandor. Entre la claridad distingues dos figuras, dos visitantes del espacio exterior. A medida que avanzas la imagen se va aclarando. No las reconoces, no te suenan de nada, nunca las has visto. La madre tendrá unos treinta y muchos, es terriblemente pálida, su piel está engrasada y aceitosa; todo su rostro parece haber sido moldeado en una masa de mantequilla sazonada con poros abiertos que contrasta con su media melena negra y encrespada. La niña tiene unos tres o cuatro años, un chicho y rasgos orientales.

—Hola, ¿me buscabais? —saludas con una de tus mejores sonrisas.

—Sí —afirma la madre—, vengo de parte de Rita.

—Oh, sí, claro —dices intentando encajar la decepción. Te agachas y le haces algún cariño a la niña—. Hola, ¿cómo te llamas?

La niña agacha la cabeza y se esconde detrás de las piernas de la madre.

—Yaiza, se llama Yaiza. Está un poco tímida

—ahora se dirige a la niña—. Yaiza, saluda al señor, saluda al señor.

—No —dice Yaiza.

—Bueno, si no quiere, no quiere —comentas pensando en que seguramente te lo tengas que hacer con la madre; se te viene a la cabeza un bajo vientre mantecoso, pelos saliendo disparados de las bragas, como una araña, olor a arena de gato... Después de esto vas a tener una charla con Rita—. Pasad a mi habitación, estaremos más cómodos.

Abres la puerta y las haces pasar, te sientas en la silla y ellas en la cama.

—Verás, vengo de parte de Rita, me dijo que eras un chico muy apuesto y atento...

—Sí...

Suena el pitido de una alarma.

—Quería concertar una cita, no es para mí —dice apagando la alarma de su reloj de pulsera—, es para mi hija —la niña protesta y empieza a gritar, la madre sigue hablando pero no la entiendes muy bien. Yaiza parece que quiere subirse al regazo de su madre—. Sí, ya va, ya va.

La madre coge a la niña en sus brazos, baja la camisa y saca un pecho; Yaiza se agarra a él y empieza a mamar.

—Pues eso, que quería concertar una cita para mi hija. Para Yaiza no, claro —dice riéndose—, es para la mayor, Lucía. Tiene dieciocho años y, claro, nunca ha estado con un hombre, así que antes de empezar la universidad le he prometido su primera cita. Y ya sabes, las primeras veces es mejor ir asesorada por las madres, ¿no? —Se ríe estrepitosamente, la niña para de mamar—. Perdón cariño. —La niña vuelve a la teta.

—Sí, claro.

—Pero, ¿qué te voy a contar? Seguro que no es la primera vez que te encargan una cosa así, ¿verdad?

—No, ya he estado con otras primerizas.

—¡Bien! Además ya me dijo Rita que no tenías la colita demasiado grande. Seguro que pasáis un buen rato. Ella es muy mona, así, rubita, tiene unos ojos muy bonitos, así, avellanados. Está encantada porque va a estudiar derecho en Madrid el año que viene, así sale de casa, a esta edad lo que quieren es independencia. Yo le decía que estudiase en Santiago o en Coruña, algo más cerca de casa. Pero nada, van las amigas para allá y ella quiere ir también. Pues nada, hay que dejarla. Solo se es joven una vez, ¿no?

—Claro, claro.

—Mira, y lo del precio ¿cómo es?

—Eso lo hablas abajo. ¿Para cuándo sería?

—Estábamos pensando que para el viernes que viene.

—Tengo cita con Rita para el viernes.

—Sí, ya me dijo que nos cedía la vez.

—Ah, bueno.

—Mira. La cita va a ser en nuestra casa, aunque desde luego os dejaremos solos. Tú asegúrate de que se echa bien el espermicida y procura que lo pase bien; vete con cuidado y todo eso…

Ella sigue hablándote de cómo va a ser la cita con su hija y dándote algunas sugerencias. La niña acaba de mamar, le limpia la boca de leche y se guarda al pecho.

—Mira, te hemos traído un regalo —dice la madre sacando un paquete del bolso—. No sabía qué traerte. Así que te he comprado esto. Tampoco sabía qué marca te gusta, así que te traje un poco variado.

Abres el paquete, es un cartón de Chesterfield y otro de de Marlboro.

—Gracias.

—De nada. Pero en casa procura, si fumas, encender un poco de incienso, ¿vale?

—No, tranquila, no fumaré.

—Tú como quieras. A Lucy no le va a importar. Fumar siempre ha sido muy varonil —resuelve alegremente—. Muy bien, pues entonces hablo con la chica de recepción, ¿no?

—Eso es.

—Muy bien, pues hasta el viernes entonces.

—Hasta el vienes. Adiós, Yaiza.

—Adiós.

Yaiza dice adiós con la mano.

Adiós, adiós…

5

Sales de la ducha y te quedas frente al espejo. Suspiras. Enciendes la máquina depilatoria y te la pasas por el pecho y luego por las axilas. De cintura para abajo ya te has arreglado en la ducha: ni un pelo. Te quedas repasando la perilla, pensando si le gustará, si será eso lo que quieren, si es eso lo que entienden por una perilla Johnny Depp: una perilla triangular y un bigote parecido al de un mosquetero, aunque con un aire descuidado. Te ves extraño, pero es lo que piden, qué le vas a hacer.

Ahora toca la purpurina. Nunca sabes cómo se supone que tienes que echártela, si en un dibujo, si concentrada en el pecho, si entre el bajo vientre y el pubis, o sabe Dios. Tú siempre optas por espolvorear un poco por todo el torso. Es una gilipollez, pero en fin. Te echas un poco de loción en spray y después la purpurina plateada, que es la más discreta. Todas son una horterada, pero la plateada es la que pasa más desapercibida, unos brillos y ya está.

Te quedas mirándote en el espejo y piensas que, aunque sea la típica estupidez que piden las primerizas, deberías ser más profesional. Si te piden purpurina, que se note que la llevas. Ellas siempre son las que mandan, da igual que sea hortera. Si se pide a un chico de fantasía, eso es con lo que hay que cumplir, como si te piden que lleves orejas de elfo, da igual que tengan dieciocho años y que sea su primera vez. Después ya se darán cuenta de que lo que de verdad quieren no es un chico de fantasía, sino un tío que les ría las gracias y les eche un buen polvo. Pero por el momento te echas un poco más de purpurina verde.

Siguiendo con los preparativos, te repeinas hacia atrás con gomina, te vistes y revisas la lista: depilación completa, purpurina, perilla Johnny Depp y traje negro con camisa blanca sin corbata. Esto ya está. Queda el bote de espermicida, el colgante tipo Max Luton y el tabaco (opcional).

Te pones al cuello uno de los colgantes que te regaló Rita y te desabrochas dos botones de la camisa: las joyas lucen más con algo de escote. Además, así dejas que se vea un poco la purpurina. Coges un bote de espermicida, una tableta de Viagra 50 y un lubricante casero con lidocaína. Con las primerizas nunca se sabe, siempre te puedes ganar una demanda por negligencia sexual: «Me dolió, me lo hizo con brusquedad». «Le dije que más despacio y él siguió más fuerte». «No estaba preparada, se lo dije, pero él insistió y me violó». Has oído muchas historias como para no llevarlo. Trabajar con vírgenes es todo un riesgo, te pueden acusar de cualquier cosa y uno siempre lleva las de perder. A la mínima duda lo usas y ya está, es preferible dejar a una clienta insatisfecha a que te demanden.

Te pones el abrigo y sales de la habitación, bajas hasta la entrada donde hay una limusina aparcada junto a una guardia y unos quince galanes esperando. Os entretenéis un rato hablando del partido contra los italianos. Ya está confirmado, este año vienen de Nápoles.

—A ver qué tal son los napolitanos.

—Seguro que son unos paquetes, Nápoles no es tan grande como Roma o Milán.

—Sí, eso es verdad.

—¿Eso qué tiene que ver? —dice alguien más.

—Que los equipos de ciudades grandes están siempre mejor preparados, tienen mejores entrenadores, mejores instalaciones, mejor equipamiento…

—Eso es una chorrada, al final lo que importa es que los genes sean buenos.

—¡¡¡PEDRO FERNÁNDEZ, BENITO HERNÁNDEZ, BENITO GARCÍA, MANUEL HERNANDEZ Y CARLOS FERNÁNDEZ!!!

Todo el mundo calla de súbito ante la potente y directora voz de la guardia. La limusina arranca, los nominados suben a ella y se van. La guardia sigue en pie con una tabla en la mano. Después, todo vuelve a la normalidad. Siguen llegando más galanes.

—Pues lo que decía, lo importante son los genes. Si son clones de algún deportista va a ser muy difícil ganarles.

—Mira —irrumpes por fin—, hay que dejarse de historias, hay que tener una estrategia, jugar en equipo, cada uno tiene que saber cuál es su papel.

—Sí, se me olvidaba que estaba aquí presente nuestro centrocampista estrella. ¿Preparado para el choque?

—Siempre estoy preparado —afirmas sin sonreír.

—Claro, hiciste un buen partido el año pasado, contra los romanos —comenta otro.

—Sí, hubo un momento que pensé que íbamos a remontar —dice alguien más—. ¿Cuánto quedamos al final?

—Cuatro uno —respondes.

—Sí, cuatro uno. Nos metieron dos seguidos al final.

—Aquello fue una chapucería —dices, aburrido de tener la misma conversación mil veces mientras llega otra limusina—. Ya no es que seamos muy ordenados, pero al final todo el mundo corría detrás del balón; si la defensa no está en su sitio, pasa lo que pasa. Todos se volvieron locos.

—¡¡¡KEVIN CASTRO, JUAN EXPÓSITO, IVÁN HERNÁNDEZ, LUIS GARCÍA Y TOMÁS EXPÓSITO!!!

La gente se va marchando a la llamada de la guardia, abandonando violentamente la conversación; nuevos clones se incorporan. No paran de llegar nuevos contertulios que bajan por las escaleras.

—De todas formas eran muy buenos. No hicisteis mal partido —dice alguien que acaba de llegar.

—Eran malísimos, pero sabían jugar en equipo, cada uno tenía claro su papel. Si nosotros hiciésemos lo mismo les habríamos metido cuatro —comentas.

—Pues a ver si os organizáis mejor, este año les tenemos que ganar —te dice uno.

—¿Sabéis ya contra quién vamos a jugar este año? —pregunta alguien que no ha estado presente desde el principio de la conversación.

Da igual lo que digas, unos vienen y otros se van. Todos dicen lo mismo, las mismas caras, pero distintas cabezas, todo un banco de salmones que ha recorrido el mismo camino, todos miran igual, abren la boca y la cierran de la misma manera, reparan en ti, hacen lo que deben, lo que han venido a hacer. Chapotean y como vienen se van. Todos hablan, pero por mucho que pongas de tu parte nada de lo que te digan te va a decir nada.

—¡¡¡FRANCISCO DÍAZ, DAVID EXPÓSITO, WENCESLAO HERNÁNDEZ, SANTIAGO GARCÍA Y MANUEL GARCÍA!!!

—Creo que contra los de Nápoles.

—Sí, contra los de Nápoles —vuelve a decir alguien—. Nos estaba comentando aquí el amigo que necesitamos un poco de organización.

—Yo creo que tenemos que ser mejores. Además, que vengan de Nápoles no es como si vinieran de Milán o de Roma.

—Eso nunca se sabe. Todo depende de quién sea su donante. ¿Os acordáis el año que vinieron los de Palermo?

—Puff... los negros aquellos... —dice alguien que lo recuerda—. Eran clones de un atleta olímpico, nos metieron una paliza. ¿Cómo se llamaba?

—No sé qué Lewis.

—¿Carl Lewis?

—Sí, eso, Carl Lewis.

—A ver si este año nos tocan unos escritores o algo así.

—Sí, ojalá.

Alguien pregunta por tercera vez contra quién jugáis este año cuando llega otra limusina y la guardia grita tu nombre y el de cuatro más, os subís y os marcháis hacia vuestro destino.

La limusina circula a una velocidad moderada hacia la ciudad por la carretera general. Ahora la atmósfera es mucho más tranquila, la conversación prácticamente se extingue, solo surgen unos pocos comentarios triviales. Los coches tocan el claxon al adelantaros; a nadie le importa. Los clones han dejado de chapotear, están más tranquilos, camino de la acción que justifica su subsistencia; si no fuese por los servicios sexuales, las feministas cogerían fuerza y la ciencia buscaría alternativas al semen para la procreación. Sería el fin para los clones. No solo es por una pensión, es el sentido de la existencia de los individuos clonados, supervivencia pura.

Alguien se da cuenta de que te has echado purpurina, lo comenta y todos se ríen de ti porque esta noche la vas a pasar con una virgen.

Al llegar a la ciudad tus cuatro compañeros se bajan en el Zenit. El coche sigue su camino. Ahora que te has quedado solo empiezas a sentirte más en un refugio que en un vehículo de lujo. De todas formas sabes que no hay redención posible.

Finalmente llegas a la dirección. Te bajas de la limusina, llamas al telefonillo y te abren. Aún no has entrado en el portal y la limusina ya se ha ido. Subes y tocas el timbre. Te abre la madre.

—Hola, ya has llegado. Muy puntual —dice con una espléndida sonrisa en su cara no tan mantecosa como el otro día—, eso me gusta. Pasa, por favor, pasa.

La casa es calurosa, roja y lúgubre. Sobrecargada de telas y adornos, con libros y revistas antiguas amontonadas en las estanterías; de las paredes empapeladas cuelgan cuadros absurdos de calles de piedra y paisajes desolados, salvo por una fea copia de un retrato de Van Gogh con la oreja vendada, te es imposible encontrar personaje alguno entre las pinturas. Los muebles sobrecargan la estancia, un sofá y dos sillones cubiertos por sábanas rodean una mesa camilla.

Yaiza y otra mujer canosa con el pelo corto salen por una puerta. Justo después aparece una chica muy joven, envuelta de franela y denim. Por la cara cruzan mechones de una seca y encrespada melena marrón.

—Esta es Lucía —dice la madre—. Nosotras ya nos vamos, dormimos fuera, así que no os preocupéis por nada —añade dirigiéndose a ti—. Si necesitas algo, pídeselo a Lucía. —Se pone el abrigo, le da dos besos a su hija y se van las tres—. ¡Portaos bien!

—Sí —afirma Lucía.

—Adiós —dicen Yaiza y la otra mujer.

—Adiós —se despide Lucía.

—Adiós —repites cuando se cierra la puerta.

Os quedáis solos al fin. Dos o tres segundos de silencio, la miras a los ojos. Imponentes y amarillos como los de un búho. Entonces ella sonríe, y con sus palatales ligeramente superpuestos y algo torcidos te pregunta si quieres tomar algo.

—Sí, por favor —contestas sinceramente.

—¿Qué te apetece?

—¿Qué tal un gin-tonic?

—¡Guau! ¿Eso qué es?

—Ginebra y tónica.

—Lo siento, pero no tenemos ni una cosa ni la otra.

—¿Y qué tenéis?

Ella va hasta la cocina y desde allí grita:

—¡Hay Licor 43, Johnnie Walker, vodka, anís...!

—¡Ponme un Johnnie o una cerveza, lo que tengas!

Se hace un silencio. Tú te sientas en un sillón, te das cuenta de que la mesa camilla te queda demasiado alta como para apoyar ninguna copa y te vuelves a levantar. Contemplas el sobrecargado salón, tu mirada se detiene sobre unas figuras de trapo torpemente adornadas con lentejuelas, atrozmente elaboradas, seguramente sean fruto de alguna actividad de Lucía. Tienen pinta de llevar ahí una década. Te quedas quieto en tu sitio, sin pensar en nada concreto, nada más que pasmado ante una visión incoherente. Lucía reaparece con las copas.

—¿Te gusta la sala?

—Sí, muy acogedora.

—Perdona por los de las colchas en las butacas, pero es que antes teníamos gatos y están destrozadas.

—No te preocupes, así está bien.

—Ven, siéntate —dice llevándote al sofá. Los dos os sentáis, uno mirando al otro, sosteniendo cada uno vuestra copa en la mano.

—Bueno, Lucía, así que el año que viene te vas a Madrid, ¿no? —Incluso a ti mismo te suena muy forzado, pero es que toda la situación es muy forzada. A las mujeres hay que decirles lo que quieren oír y dejarlas hablar. Las primerizas nunca están muy seguras de lo que quieren oír, así que vas a dejarla hablar y luego ya veremos, con estas chicas nunca se sabe.

—Sí, voy a ir a Madrid a estudiar Derecho.

—Oh, quieres ser abogada —dices tranquilamente.

—Sí —contesta, aún tensa mientras tú bebes—. ¡Eh! Qué guay el colgante, me gustan mucho esos colgantes —dice cogiéndotelo, sosteniéndolo entre sus dedos casi sin tocarte—. ¡Oh! ¡Y llevas purpurina! —añade posando sus yemas en tu pecho.

—¿Te gusta? —dices con media sonrisa.

—Sí, me hace mucha ilusión.

Tú ríes. Por un momento piensas que puede ser una noche aceptable, la chica es simpática y acabas de fijarte que tiene unos bonitos labios; demasiadas cejas, pero bonitos labios. Y esos ojos que, a pesar de todo, te siguen imponiendo. Una mirada inocente que te atraviesa sin ver más de lo que quiere ver, un morboso magnetismo; una excitante radiación, una locura todavía sin estallar, una inquisición dormida, un tigre.

Una sonrisa inagotable, una bobada, y en un desliz del tenue encandilamiento se abalanza sobre ti, apoya su mano en tu pecho y te besa casi con pasión, con ternura y sin lengua; un beso de labios. Tú contestas con un beso de dientes y un poco de lengua. La cosa parece que se anima y apartas la copa hasta la elevada mesa camilla.

—Ah, perdona —se disculpa ella echándose atrás.

—No, no pasa nada.

—Tendremos que cenar antes —dice reponiéndose, con forzada frialdad.

—Eso como quieras.

—Sí, que si no se enfría.

—Vale.

—Puff... —dice ella riéndose al levantarse. Tú la sigues hasta la cocina, donde encuentras una claridad clínica: baldosas blancas, luz cortante entre los dientes, y en un giro vislumbras sobre su boca un bigotillo decolorado; sus cejas van ahora más allá de las de cualquier reina egipcia; espontáneos vellos, furtivos y desorganizados, embrutecen el joven rostro divino. Lo intentas pasar por alto, pero te va a costar.

El fregadero, la repisa de granito tratado y el suelo están impolutos. Hay una mesa preparada con un mantel, velas, una cesta con pan y dos servicios que constan cada uno de un plato, una servilleta, una copa grande, otra pequeña y una de champán; un cuchillo, un tenedor y una cuchara de postre. Cada uno de los cubiertos y los platos están desprovistos de cualquier tipo de elegancia o estilo, en cambio las copas te recuerdan a las del Zenit. Todo te incomoda, te sientes desubicado.

Lucía enciende las velas, el incienso y apaga la luz. Ahora mejor. Abre la nevera y saca dos copas con un cóctel de gambas y salsa rosa.

—¡Oh! Un cóctel.

—¿Te gusta?

—Me encanta.

—¡Guay! De segundo hay carne. Ya está hecha en el horno, si está muy fría la calentamos en el micro.

—Muy bien, perfecto —dices desencantado, pensando en lo caliente que estabas hace un rato, en cómo unas luces fluorescentes pueden acabar con la magia. Después de todo, al igual que para el resto de la carne, siempre puedes recurrir a la ciencia para un calentón de emergencia. Todavía cabe la esperanza de que no sea necesario, pero, ante la duda, siempre va antes el microondas que la Viagra.

—¿Qué vino bebemos? Con esto va el blanco y con la carne el tinto, ¿no?

—¿Hay champán?

—Sí, pero eso para el final, ¿no?

—¿Qué champán tienes?

Saca de la nevera una botella de Moët & Chandon.

—Propongo beber champán toda la noche.

—No sé.

—Sí, mujer, será divertido. ¿Para qué vas a abrir tres botellas?

—¿La abres tú?

—Sí, claro.

Abres la botella, al soltar el estallido ella se ríe, sirves, os sentáis y ella propone un brindis:

—¡Por esta noche!

—Por esta noche y por un próspero futuro —te suena cutre hasta a ti, pero crees que a su madre le gustaría. Brindáis y empezáis a cenar. Tienes un hambre voraz, pero por tu educación comes tranquilo, masticas, tragas y bebes champán. Todo correcto, como siempre, como en cualquier otra cena, muy constante, muy profesional. Ella en cambio es mucho más expresiva:

—Mmm... Está buenísimo. Me encanta la salsa rosa.

Tú sonríes y te sorprendes al limpiarte con la servilleta, ya casi te habías olvidado de la perilla.

—¿Y qué más cosas te gustan? —le sueltas.

Ella se sonroja, no sabes si es así o empieza a estar algo ebria, la inocencia es lo que tiene, con los años se acostumbran, en realidad esto es algo que pasa con todo.

—Me gustas tú —afirma ella, ridícula y colegial.

—¿Ah sí? ¿Te gusta mi perilla? —dices acariciándotela con una sonrisa ladina.

—Sí, eres muy guapo.

—¿Me imaginabas así?

—Con el pelo un poco más largo.

—¿Más largo?

—Sí.

—Si me hubieses avisado antes lo podría haber dejado crecer, pero en tan poco tiempo no tengo nada que hacerle.

—No, así está bien —dice ella, ríe y se te queda mirando con esos ojos de caramelo que te encandilan.

Os quedáis mirándoos, atrapados por un íntimo magnetismo, entonces ella continúa:

—Me alegro de que seas tú y no uno de esos clones.

—¿Ah, sí? —preguntas sorprendido, casi indignado, sin perder la compostura—. ¿Y por qué?

—No me malinterpretes. No digo que los clones no sean personas ni nada de eso, solo que esta es mi primera vez y quiero que tenga una cara. Una cara que solo tenga una persona con la que comparto algo especial. No quiero compartir algo así con alguien que tenga la misma cara que todo el mundo. No sé si me entiendes...

—No, no muy bien, la verdad. —En realidad sí que entiendes algo de lo que dice, y lo entiendes muy bien, pero aun así debes hacerte el ofendido, ellos no tienen la culpa de eso.

—No quiero salir a la calle y cada vez que vea a un clon preguntarme si fue él con quien perdí la virginidad, no me gustaría. Creo que cada vez que viese a un clon me sentiría observada, ya sabes, siempre intentando buscar que te reconozcan. Si no mira, siempre me quedaría con la duda de si es o no es él y de si se está haciendo el longui. Si algún día te veo por ahí quiero reconocerte y, aunque pases de mí, saber que eres tú.

Estás a punto de decir que eso es una tontería, que tus compañeros siempre saludan a todo el mundo que les saluda, aunque no los conozcan, porque a ellos les da igual y ni se acuerdan de con quién han estado y con quién no, pero solo pronuncias un «entiendo...». Tú también saludas a todo el mundo, aunque sí sueles conocer a la gente a la que saludas, de todos modos qué más da. Si fueses un clon harías lo mismo, vosotros cubrís un servicio; suele estar bien, pero no os podéis dedicar a otra cosa y cobráis por eso, un dinero que no podréis disfrutar hasta que seáis viejos. Para vosotros los encuentros solo son especiales cuando algo sale mal. Tiene razón, si fueses un clon no te reconocería, ¿pero qué derecho tiene? Clon o no, esto es solo trabajo.

Acabáis vuestros cócteles. Ella calienta la carne ya emplatada en el microondas y tú sirves más champán. Cuando Lucía se sienta, brinda sin palabras.

—Estoy un poco nerviosa.

—¿Por qué? —preguntas como si no tuvieses ni idea de lo que está hablando.

—Por lo de esta noche.

—No te preocupes, tú relájate, lo importante es que estés relajada. Además, ya sabes que no vamos a hacer nada que no quieras hacer, la que manda eres tú.

—Ya, ya lo sé.

Seguís comiendo carne y bebiendo champán.

—Entonces, ¿cómo es que vas a Madrid a estudiar? —insistes, intentado avivar la cena.

—Sí, creo que aquello está bien. Además van amigas mías y eso.

—Yo he estado muchas veces en Madrid —dices exagerando.

—¿Sí?

—Sí, hay mucha fiesta allí. Me conocen en muchos sitios, ¿sabes?

—Entonces si digo que voy de tu parte, ¿me tratarán bien?

—Dalo por hecho —sonríes.

Pasas el resto de la cena contándole anécdotas nocturnas madrileñas y diciéndole a qué sitios puede ir a pasarlo bien y tomar unas copas. Cuando acabáis vas un momento al baño, te echas unos pedos patrocinados por Moët & Chandon y te tomas media Viagra, no es algo que suelas hacer, pero todo esto te está resultando deprimente. Mejor ahora que después.

Vuelves a la cocina, tomáis un postre de chocolate. Y ella vuelve a servir unas copas que os lleváis al salón.

—¿No fumas?

—No.

—¿No te dijeron que trajeses tabaco?

—En el papel ponía opcional.

—Bueno, da igual, yo tengo. Toma —dice sacando una cajetilla del bolsillo del vaquero.

—Mira, yo no fumo.

—Anda, hazlo por mí, ¿la que mandaba no era yo? —pregunta con una sonrisa y articulando sus destartaladas cejas.

—Vale —dices cogiendo uno, ella te acerca el mechero y lo enciendes. Ella también enciende uno, tose y prende el incienso.

Seguís hablando de alguna cosa más. Ella está borracha, los dos os hacéis los interesantes con el pitillo; tú por obligación y ella porque sí. Una pomposa comedia de humo en un trastero. Tú apagas el cigarro en el cenicero y ella te imita, pero sin desprenderse aún de la colilla, con la que juguetea empujando y haciendo rodar los pequeños cilindros de ceniza hasta deshacerlos por completo. Segundos después acaba el lapsus silencioso.

—Tal vez deberíamos ir empezando. —Dices «tal vez» sin mucho tacto, totalmente deshechizado...

—Sí, claro, vamos a mi cuarto.

Ella se levanta, tú la sigues y se echa un gas, nadie dice nada. El dormitorio está casi tan sobrecargado como el salón, muchas revistas antiguas, muy antiguas, apiladas, casi todas muy viejas, con portadas de Leonardo Dicaprio, Johnny Depp, incluso una descolorida de Michael J. Fox en una promo de *Regreso al futuro.* Antigüedades amontonadas, rostros de otra era, muecas de circunstancias ya imposibles impresas en papeles destartalados, consumidos, cenicientos. Las paredes cubiertas por varios posters: un plano completo en blanco y negro de Jim Morrison de perfil cantando en un concierto, Jack Sparrow blandiendo su espada y el siempre recurrente David Beckham recostado con los calzoncillos de Armani. Lucía prende también aquí una varilla de incienso, unas velas, y se queda de pie esperando. Te acercas y recoges sus manos en las tuyas.

—No te preocupes, ¿estás nerviosa?

—Un poco.

—Relájate.

Tus manos suben por sus brazos que cuelgan holgazanes.

—¿Sabes que eres muy guapa?

—¿Sí?

—Sí. Tus ojos son preciosos, en serio, nunca he visto unos iguales —dices sin poder quitarte sus cejas de la cabeza—, tu nariz, tu boca, tan joven y tan tierna —murmuras dándole un beso—, tu cuello... —Posas tus manos en él.

—¿Mi cuello? —pregunta con una risa nerviosa.

—Sí, me gusta tu cuello, es tan esbelto y tierno —le susurras acercándote con tu aliento, besándoselo. Ella se estremece y te rodea con sus brazos sin atreverse a abrazarte del todo. Después de unos dilatados besos pasas a la boca, restregando tu labio inferior entre los suyos que, como una cuña carnosa, hace que estos se abran. Ella te abraza y tú le metes la lengua. Pasáis un rato ahí de pie, agarrados, enzarzados en un lengüeteo excesivamente prolongado. La Viagra comienza a hacer efecto, la erección ya venía de antes, pero ahora es mucho más acentuada, de todas formas te aguantas y no pasas de tocarle un poco el culo, con estas chicas hay que ir despacio. Ella tampoco se atreve a sobarte demasiado. Aun así, la llevas a la cama antes de lo que tenías previsto, estás realmente excitado, aunque sigues esforzándote en olvidar sus grotescas cejas. Le quitas la camisa de franela y aún lleva una camiseta debajo. Le metes mano por encima de los vaqueros; Lucía se deja hacer, no te toca, solo te besa. Ya no aguantas más.

—Descálzate —le dices.

Ella te hace caso y aprovechas para desvestirte. Dejas el espermicida y la solución de lidocaína en la mesilla. Estás en calzoncillos y con el colgante de Max Luton pendulante entre tú y ella. Besándola y metiéndole mano ahora ya por debajo de los vaqueros; ella solo te acaricia un poco el torso. Le quitas los pantalones, la camiseta y el sujetador deportivo. La besas. Te alegra comprobar que se ha depilado las piernas y los sobacos para la ocasión. Como ella no parece tener ninguna intención de explorar, te quitas los calzoncillos y te sorprende ver tu pene excepcionalmente erecto y grande, se puede decir que en cierto modo te asusta. A ver dónde lo metes.

Le quitas las bragas y la dejas en calcetines. El pubis, al igual que las cejas, no ha sido sometido jamás a una depilación. Aunque es lo habitual, te habías hecho ilusiones. Coges el espermicida y se lo rocías por fuera y por dentro de su vagina. Ni siquiera la densa atmósfera de incienso aplaca el olor a barniz del spray.

Durante un rato lames, besas y magreas todo su cuerpo, no es lo que quieres, pero se supone que tienes que enseñarle, la primera vez tiene que ser muy ilustrativa, de hecho ella no aporta absolutamente nada, solo está ahí plantada, estirada y trémula, limitándose a recibir el servicio sin más. Tienes una erección de caballo, has tomado Viagra, y después de su primer orgasmo y a pesar de los fantasmas velludos y de no poner nada de su parte, no aguantas más. Así que por fin te decides a penetrarla, se la metes y ella asiente inspirando profundamente. Pierdes el control y estás decidido a empezar un movimiento salvaje pero ella te corta con brusquedad.

—¡Espera, espera! ¡Para!

—¿Qué pasa?

—Duele.

—Relájate.

—No sé.

Estás ansioso, si no hubieses tomado la Viagra daría igual, te tomarías tu tiempo, pero ahora eso ya no importa. Coges el bote de lidocaína y se lo untas en la vagina, descuidadamente, una gran cantidad.

—Ya verás que con esto va a ir mucho mejor —le metes un morreo apurado, te colocas y la vuelves a penetrar—. ¿Qué tal ahora?

—Mejor.

En cuestión de segundos el pene pierde su sensibilidad volviéndose un fantasma erecto. Es el comienzo de una larga noche de sexo incapaz. Jack Sparrow te mira desafiante a través del maquillaje.

6

Una mujer con un vestido de noche azul levanta su volante repleto de pliegues y enseña sus piernas. Corre rebelde sobre sus tacones, escapa entre paredes de un laberinto de boj. Finalmente parece haber encontrado lo que estaba buscando: un cofrecito de madera colocado sobre una pequeña columna jónica de apenas un metro; al abrirlo emerge el flotante y radiante emblema del Canal 3: «Canal 3, el canal que te comprende».

No, no te comprende. De hecho el Canal 3 no tiene ni idea.

Vuelve la película: *La sombra del poder.* Russell Crowe interpreta a un periodista estrella y Ben Affleck a un joven congresista —casado, por supuesto— que ve cómo su carrera política está a punto de desmoronarse tras el asesinato de su ayudante al desvelarse que esta era también su amante. Así que acude a Crowe en busca de ayuda. Es un thriller periodístico, has visto unos cuantos, te gustan, son emocionantes, te encanta sentirte como uno más, como si tú también participases en la investigación. Pero lo que te ha llamado la atención de la película es que los dos personajes se hayan conocido en la universidad. Se conocieron allí, pasaron unos buenos años y dijeron: «tenemos talento, ¿en qué podemos gastar nuestras vidas?». Uno dijo: «Soy ambicioso y quiero hacer cosas buenas por mi país. Me meteré en política, seré congresista y tal vez algún día llegue a ser presidente». El otro dijo: «Yo soy un tipo algo rebelde, ya me conoces, conseguiré trabajo en un buen periódico y me dedicaré a desmantelar casos de corrupción en las altas esferas de las organizaciones gubernamentales, tú ya me entiendes». Cada uno escogió su camino y ahora han llegado a esta situación.

A menudo te preguntas si escoger profesión en el siglo veinte era algo tan sencillo. Las mujeres que has conocido no parecen trabajar en nada en concreto. Es cierto que has visto de todo, administrativas, abogadas, directivas, dependientas, dueñas de restaurante, fontaneras…, pero a excepción de las doctoras y de una electricista con la que tuviste una avivada conversación sobre circuitos de alimentación, siempre te ha dado la sensación de que cada una tiene su empleo porque le tocó tenerlo. No ves vocación en casi nadie ahí fuera, no como en las películas. Sin embargo, en el centro hay gente a la que se le da bien hacer cosas; en los talleres hay auténticos manitas, en manualidades artísticas siempre os lleváis algún premio en los certámenes nacionales. Zacarías es todo un genio tejiendo, y a ti la electrónica no se te da nada mal.

Tal vez eso de la vocación sea algo exclusivo de los hombres, tal vez esa necesidad de satisfacción sea cosa vuestra y ellas sean más prácticas a la hora de escoger un oficio. Puede que a ellas solo les importe ser prácticas, el trabajo, el dinero y el tiempo que gastan en él, o puede que las películas sean solo películas. Por un momento piensas a qué te dedicarías si hubieses ido a la universidad a la que fueron Russell Crowe y Ben Affleck; podrías haber estudiado alguna ingeniería, desarrollar proyectos para la NASA, ser científico, a ti eso se te da bien. Inventarías algún nuevo cohete, ayudarías a colonizar Marte o sabe Dios qué.

Piensas en tu padre, hace años que no lo ves. Él sí que es un vividor. Empezó a estudiar empresariales, pero en algún momento lo dejó, tal vez se dio cuenta de que estaba más cotizado como hombre que como administrativo o puede que sencillamente no tuviese ninguna vocación. Ahora posiblemente esté de crucero con alguna mujer veinte años menor que él que le pague los gastos o si no es así, estará engatusando a alguien para hacer algo parecido. Siempre va con el cuento de «podemos hacer una familia con hijos y nietos en masculino», como si el que tú hayas salido varón garantice que sus próximos hijos salgan también varones. En realidad tienes varias hermanas por el mundo adelante, tan solo conoces a alguna de vista. A ellas no les importas nada, a ti ellas tampoco.

Tu madre es el único miembro de la familia con quien tienes cierto contacto. Como todas las madres de hijos varones, cobra una sustanciosa pensión en compensación por ceder al Estado ciertas competencias y derechos sobre su hijo. Este es un trámite obligatorio y ampliamente aceptado. Casi todo el mundo comprende que es por el bien de la nación y la raza humana.

Así que tu madre te telefonea de vez en cuando. A veces en un mes te puede llamar dos o tres veces, después puedes estar largas temporadas sin hablar con ella. Solo os veis en ocasiones extraordinarias, casi siempre en el centro. Poco a poco habéis ido perdiendo parentesco, por decirlo de alguna manera. Nunca tienes gran cosa que contarle, la vida en los centros de preservación es aburrida y monótona, y ella siempre tiene algo que contar de alguno de sus viajes; siempre te habla de Nueva York como si lo conocieses. Te encantaría ir a todos los sitios a los que va ella, sin embargo su conversación te aburre tanto como sus anécdotas y la empatía cada vez es menor.

Esta es la familia que tienes: un padre y una madre. El resto o están muertos o no los has llegado a conocer. De todos modos es mucho más de lo que tiene el resto de internos. Muchos de ellos ni siquiera saben quién era el donante de las células madre de su propio ser. Tampoco les importa, lo más parecido que tenéis a una verdadera familia está dentro del centro de preservación, aunque tú siempre has tenido la sensación de ser un miembro adoptado. Tu nombre no es de aquí, no es ni Antonio ni Benito ni Carlos ni Eduardo ni Francisco ni Guillermo ni Hugo ni Iván ni José ni Kevin ni Luis ni Manuel ni Nicolás ni Óscar ni Pedro ni Quintín ni Ramón ni Santiago ni Tomás ni Uxío ni Víctor ni Wenceslao ni Xurxo ni Yago ni Zacarías. Tus apellidos tampoco son Álvarez ni Blanco ni Castro ni Díaz ni Expósito ni Fernández ni García ni Hernández ni Iglesias ni Jiménez ni sean cuales sean los apellidos que vengan en las siguientes generaciones. Porque así es como el Ministerio de Demografía asigna el nombre que se le ha de poner a los clones: equiparando su orden de entrada en el registro a un sistema alfabético, relacionando así a cada letra un nombre que haya sido popular o distintivo de la zona en la que se encuentre el centro a principios de siglo. Lo mismo pasa con los apellidos, cada generación de clones tiene el suyo: primero vinieron los Álvarez, después los Blanco, etcétera. En realidad, detrás de cada nombre hay un código. Hay nombres que solo con oírlos puedes saber a qué centro pertenecen y en qué año han nacido. Tus apellidos son los de tus padres y ellos son quienes han escogido tu nombre.

Es cierto que no eres un clon, sin embargo entonas perfectamente con la homogeneidad del grupo: eres un hombre blanco y joven. Ahí fuera casi no hay hombres, solo viejos decrépitos. La mayoría de la población está formada por señoras blancas mayores de cincuenta años; y después están sus hijas, que son de cualquier color. Habrá un momento en el que este crisol femenino desembocará en un mestizaje puro y absoluto, una nueva raza que evolucionará como cualquier otra. Los clones no evolucionan, solo son copias de un patrón, hechos con un molde. Dentro de mil años el mundo estará poblado por proto-mujeres; entonces aquí solo quedaréis homo sapiens sapiens blancos y en Palermo homo sapiens sapiens negros. Y las biólogas os estudiarán por separado del mismo modo que hoy estudian gorilas y chimpancés, sí, posiblemente a «el hombre» se le catalogue dentro de la familia de los grandes simios. Es cierto que todos habréis aportado vuestras gotitas de esperma en la travesía a lo largo de la evolución, no obstante, no hay futuro para vosotros.

Una mujer negra con un pecho descubierto es la imagen que la Iglesia Católica usa actualmente para representar la figura de Dios. No sabes si Dios es negro, blanco, chino o mongol; pero si existe debe de ser un hombre ya que al séptimo día Dios se echó a descansar. Todos los días parecen domingo.

Zacarías entra en la habitación canturreando y fumando.

—¿Qué pasa? —dices como un cascarrabias—. ¿A qué viene tanta alegría?

—¡Han traído los uniformes nuevos!

—¡Ah!

—Son naranjas.

—¿Naranjas?

—Sí, por no coincidir con los de los italianos. ¿No vas a verlos?

—Ya iré luego... Oye, ¿pero a ti qué más te da? Tú no juegas al fútbol.

—¡Ja, ja, ja! —ríe con una alegría y ligereza inusuales en él—. Eso da igual. No sé si te has dado cuenta, pero exceptuando a vuestra merced y a otro par de casos aislados, aquí somos todos clones. Y la imagen de uno es la imagen de todos —dice con aire coquetón y exageradamente sinuoso.

—Ya veo. ¡Tú lo que quieres es ligarte a un napolitano!

—¡Ja, ja, ja, ja, ja! —ríe más estridente y musical que antes—. Dicho así suena tan frívolo. ¡Ah! ¡Italia! ¡Todas las primaveras me visitas y me dejas tan solo una muestra de tu espléndido amor! ¡Suspiro por el fulgor de tus brasas!

—¡Un momento! —exclamas encajando la estocada en el corazón tras ser despojado del escudo de la evidente y ciega ignorancia—. Llevas años haciéndolo...

—¿Pero tú qué te crees, que soy de piedra? Espero que este año sean guapos. ¡Siempre lo son! Tengo ganas de un hombre robusto, varonil, ¡y con barba como Sansón! ¿Crees que habrá clones de Sean Connery?

—Es posible.

—¡Oh, cielos!

Zacarías exhibe júbilo y una felicidad desinhibida. Nunca lo has visto manifestando su homosexualidad tan abiertamente. No sabes muy bien cómo reaccionar, es la primera vez que te habla así de otros hombres. El hecho de saber que le gustas, o que le gustabas, te descoloca un poco. Que admita haber tenido relaciones con otros y que esté deseoso de que llegue el sábado provoca en ti una sensación cercana a los celos, pero de todas formas te alegras por él. Simplemente pensabas que tú eras un poco más especial para él, solo eso.

—Oye —dices cortando sus cánticos al deseo—, me voy al pabellón de recogida. Nos vemos luego.

—Sí, yo ya fui, aunque creo que debería volver pronto. ¡Ja, ja, ja! Nos vemos luego.

Zacarías sigue canturreando pasillo adelante. Tú te pones en marcha hacia el pabellón. A pesar de que el descubrimiento te ha dejado un poco traspuesto, su entusiasmo ha hecho brotar en ti pensamientos esperanzadores. Puede que los hombres también podáis evolucionar junto a las proto-mujeres, siempre os quedará Irlanda. Unos dicen que nacen hombres porque es una isla de formación reciente, otros dicen que es porque en esa tierra no hay serpientes, puede que tenga que ver con eso o no, lo cierto es que allí el TNM está por encima del 30%. Pocos consiguen llegar, pero hay gente que lo logra, incluso el Reino Unido os da refugio. Allí un hombre joven puede formar una familia, tener hijos varones y ver cómo crecen. Tener un empleo de verdad, como Russell Crowe, y no hacer siempre los mismos trabajos de taller sin remuneración. Ser un hombre libre de soledad y de compañía, libre de sexo, libre de escoger su futuro.

Atraviesas las puertas del pabellón de recogida, en el templo de hormigón se oye un movimiento humano, constante y solitario que suena a plegaria, la goma de los zapatos se retuerce en el suelo a cada paso que das. A través de las altas ventanas de cristales rugosos apenas pasa la luz, los días están menguando. Entras en una cabina, estás pensando en Zacarías y en su entusiasmo por la visita de los italianos, en Irlanda... Para concentrarte te colocas los auriculares, enciendes la pantalla y pones algo de porno.

La mayoría de las películas porno, al igual que el resto de las películas en que aparecen hombres, son de otro tiempo, llenas de elementos extraordinarios. Hay dos cosas en los cuerpos de las mujeres pornográficas que las diferencian claramente del resto: una son esos hermosos pubis tan graciosamente depilados y la otra, las prótesis de silicona. Algunos pechos son como balones de baloncesto, otros agrietan la forma del seno cuando la chica está boca abajo, algo demasiado grotesco como para pertenecer a una colección preseleccionada por mujeres, incluso, a veces, se puede apreciar la cicatriz del corte por el que se introdujo la silicona. Las películas pornográficas demuestran que desde entonces las mujeres ya han evolucionado y los hombres siguen siendo los mismos.

Cuando acabas vas a tu habitación, alguien ha tenido la delicadeza de dejarte el uniforme junto a la puerta, lo recoges y te pruebas la camiseta naranja que normalmente consistiría en rayas verticales azules y blancas. El naranja no es un color que uses muy a menudo, y menos en telas tan brillantes, pero no te queda mal. Aunque por mucho que te mires no acabas de encontrarte, te ves extraño, ajeno. Observas fijamente al tipo que hay en el espejo, analizas su cara para reconocerte, sus hermosos ojos marrones y su expresión incómoda por encima del brillante naranja.

Ni siquiera cuando no te reconoces delante del espejo eres capaz de verme.

7

Estáis todos vestidos con el uniforme naranja, dispuestos a saltar al terreno de juego. Hasta ayer estabais muy confiados y seguros de vosotros mismos. Gracias a Buenas Tetas habéis conseguido una defensa ordenada. Si le han dejado entrenar ha sido solo por los malos resultados de los anteriores. Los italianos siempre vienen con técnico, cosa que vosotros nunca habéis tenido. Puede que el viejo no acabe de conectar con nadie, pero sabe de fútbol y es un buen entrenador.

Una lástima que todo el esmero labrado durante estas últimas semanas se haya venido abajo en un instante. La moral del equipo se estremece afligida desde que ayer por la tarde los clones napolitanos bajaron del autobús. No fueron sus cuerpos de atleta, fue su identidad, el rostro que todos reconocisteis enseguida, solo sus rasgos calcados bastaron para no dejar dormir a quienes hoy les toca jugar. Incluso Juan y Bruno se han dejado impresionar, a todos os ha afectado.

En estos encuentros siempre se cede el vestuario del gimnasio al equipo visitante, ya que vosotros normalmente no lo utilizáis, soléis bajar ya vestidos de vuestras habitaciones y pasáis directamente al terreno de juego. Pero esta vez habéis improvisado uno en la sala de material.

La pequeña estancia es un manojo de nervios, en realidad ni siquiera es un vestuario, pero necesitabais una habitación para que el míster os pudiera dar la charla.

De repente todo se vuelve nuevo y extraño: tener un entrenador, que el entrenador sea Buenas Tetas, tener un vestuario; que el vestuario no sea el vestuario, ir vestidos de naranja, que los que vayan de blanco y azul sean ellos... A la gente del centro le incomoda cualquier nueva circunstancia, sus caras reflejan la misma expresión de abandono infantil. Estáis a punto de saltar al terreno de juego y la plantilla entera tiene el aspecto de haber pasado toda una noche a la intemperie. Solo Buenas Tetas y tú mantenéis el optimismo.

Buenas Tetas nos echa un discurso y aunque parezca imposible consigue motivarnos a base de recordarnos lo que hemos trabajado las últimas semanas y descalificar a los italianos. Estáis convencidos de no dejarnos impresionar.

Todo el mundo grita y hace una piña, Buenas Tetas al fin lo ha conseguido. Tantas veces que se le ha dejado al margen y lo único que tenía que hacer era dejarse llevar, que la tensión enrojeciese su cara, hiciese vibrar sus carrillos y desorbitase sus huevos duros. Tan solo Juan no parece entusiasmado, el resto atravesáis el gimnasio y saltáis al terreno de juego con la sensación de que vais a hacer un buen partido.

Allí os están esperando. Llevan ya un rato en

el campo, tocando un poco el balón entre ellos. Incluso a ti te da un vuelco al corazón cuando vuelves a ver a once Brad Pitts llevando vuestros colores. Sonriendo se acercan a vosotros, hay Brad Pitts de todo tipo, con bigote, patillas, barba recortada, perilla, pelo corto, más rubios, menos rubios, melena, media melena, cresta, tupé... Todos con su estúpida sonrisa de superioridad y su mirada rasgada.

El público está a ras de suelo. Flora, el resto de guardas de seguridad y sus pequeños dientes, custodian el terrario sin gradas. A un lado, tras la barandilla, los Brad Pitts que no juegan, y al otro, el resto de habitantes del centro, entre los cuales distingues a Zacarías saludándote con la mano; tú le guiñas el ojo.

Todo está en orden para empezar, esta vez vuestro 4-4-2 no puede fallar. El portero es bastante apañado, Bruno y el otro central han aprendido al fin a coordinarse, los laterales también hacen bien su trabajo, el medio campo es bueno, y si Juan está fino alante os debería salir un buen partido.

La árbitra da el pitido de inicio y los italianos sacan. Tocan el balón con soltura, se adentran en vuestro campo y recibís el primer aviso rozando el poste. Buenas Tetas grita: «¡Hay que estar atentos!».

El portero saca de fondo y manda el cuero a medio campo. Saltas a cabecearlo, pero un Brad Pitt de cresta y bigote se te adelanta. Un nuevo ataque rival, pero Bruno lo intercepta, oyes aplausos pero no distingues a Zacarías entre el público.

El juego está estancado. No conseguís pasar a su campo, pero por fin parece que llega la vuestra. Ves a Juan desmarcado, le entregas un pase en profundidad que recibe por delante de la defensa, aunque no consigue aprovecharlo. En un contraataque os hacen el primer gol.

Todos los Brad Pitts lo celebran en la banda con los Brad Pitts que no juegan, muchas sonrisas y el doble de ojos pequeños. Ahora ves a Zacarías, es el único de vuestra ínfima afición que no parece estar preocupado.

Todos volvéis a vuestros puestos para reanudar el partido. La árbitra pita y Juan saca de centro. Buenas Tetas grita desde el banquillo pero ya nadie se cree el fútbol. El entrenador italiano no es Brad Pitt, es un señor calvo que de vez en cuando grita nombres como Marco, Tonni o Luca , realmente da la sensación de que está dirigiendo el juego. Perdéis las ansias de ganar y empezáis a prestar más atención a la árbitra, los italianos en la grada o a Flora y su sonrisilla de desprecio comentando algo con otra guardia… Los minutos pasan como bloques de poliespán y os meten el segundo. Después de eso el pitido del final de la primera parte no tarda en llegar.

Lánguidamente, entre italianos sonrientes y animosos, vais desfilando cabizbajos hacia el pabellón. Ellos se meten en el vestuario y vosotros en el cuartucho de material deportivo, pensando en el nefasto juego y el mal trago que todavía os queda por delante en el segundo tiempo. Vuestras ridículas caras largas de mejillas manchadas de tierra en una habitación pequeña, os dan un aspecto de prisioneros de guerra recién capturados.

Buenas Tetas os pregunta si estáis sordos o si es que en el campo ya no entendéis otra cosa que el italiano. Os echa la bronca e intenta volver a motivaros. Cuando acaba de hablar Juan se pone en pie y escupe con disconformidad.

—¿Algún problema, Juan? —dice el míster, todo el mundo se gira hacia Juan.

—No, nada.

—Ah, me parecía que querías decir algo.

—No sé por qué lo dices —contesta descaradamente.

—Me pareció que tenías algo que decir.

—Pues no.

Buenas Tetas le quita importancia al comentario y se pone a dar instrucciones para la segunda parte.

Salís de nuevo afuera y los italianos ya os están esperando, el campo sigue siendo de tierra y las nubes siguen ocupando el cielo, Flora os sigue despreciando con la mirada desde debajo de la gorra, donde vive su cara de culo. Las aficiones siguen en su sitio y Zacarías ya está en Nápoles.

Juan y tú os colocáis para sacar de centro, él te mira muy serio.

—Vamos a machacar a estos mamones —le dices con intención de animar al cabecilla.

—Ya... —suelta en plan tipo duro.

Suena el silbato, Juan saca y tú pasas atrás; los italianos presionan, pero movéis bien el balón. Ahora el equipo juega con orgullo, controláis el balón con facilidad y os acercáis dando los primeros avisos. Probáis a tirar desde lejos y conseguís un córner. Tú eres el encargado de sacar, ya sabes lo que tienes que hacer. Buscas la cabeza de Bruno y centras, él consigue conectar, pero el portero despeja el remate. Hay un revuelo en el área en el que Juan consigue golpear el balón, que entra en la portería. Todos cantáis gol, os abrazáis y chocas la mano con Juan, que ahora te sonríe. Buscas a Zacarías, que está veinte metros más allá hablando animosamente con Brad Pitt.

El partido alcanza unas dimensiones épicas, el control del balón por vuestra parte es indiscutible, pero los italianos han empezado a jugar duro. Juan se enzarza en una discusión, amenaza a la árbitro, y luego golpea a un italiano. Buenas Tetas decide cambiarlo antes de que acaben por expulsarlo. El capitán se retira indignado, pateando la arena; se sienta en el banquillo dando golpes a todo.

Buscas a Zacarías, pero ya no lo encuentras. Quedan cinco minutos más el descuento, por lo menos podía haberse quedado hasta el final.

Hay una falta al borde del área. Los italianos están exhaustos, no aguantarán una prórroga. Eres el mejor lanzador, has metido muchas faltas así, puedes hacerlo. Miras la barrera y ahí están todos esos Brad Pitts de mentira, con sus bigotes, crestas y melenitas de pega, poniendo unas caras como las que ponía el Brad Pitt original en sus películas cuando le estaban jodiendo bien. Leonardo Dicaprio, Colin Farell, Edward Norton, estos tíos... A todos les han enseñado a poner esa estúpida cara de ceño fruncido cuando les joden. Y ahora les vas a joder.

Tomas carrerilla y disparas. El tiro lleva cierto efecto, por un momento parece que va a salir fuera, pero finalmente se estrella contra el larguero y el balón sale disparado hacia abajo y lo recoge el portero.

Seguís tocando el balón, quedan pocos minutos. Un Brad Pitt corre detrás del balón como un poseso y Bruno comete un error. 1-3, todo ha acabado.

El Brad Pitt del chivo se abraza al del bigote y a este se le suman los Brad Pitts de media melena, el Brad Pitt portero, el Brad Pitt de cresta, el Brad Pitt de pelo corto, el Brad Pitt un poco más maduro, Brad Pitt con barba, Brad Pitt teñido de platino, Brad Pitt, Brad Pitt, Brad Pitt. Todos apelotonados, unos encima de otros, sonriendo victoriosos, hermosos melocotones transgénicos, caras de victoria, Brad Pitt rasgado, Brad Pitt pequeños ojos abiertos, Brad Pitt, todas sus películas, Brad Pitt.

Os quedáis en el campo, desolados y cabreados. Tú buscas a alguien, pero solo ves a Flora con una sonrisa de satisfacción. Ves como un año más perdéis el partido, te lamentas pensando que los que deberíais estar celebrándolo vestidos de blanquiazul sois vosotros.

La guardia de recepción entra en el campo y se dirige a ti.

—Ven conmigo.

—¿Qué pasa?

—Tienes una llamada.

—¿Es que no puede esperar? —dices mientras algún Brad Pitt es manteado por sus compañeros.

—No, es urgente.

La sigues por los pasillos del centro dejando un rastro de tierra por donde pasas. Por el camino algunos clones te dan palmadas en la espalda, «lo has hecho bien», «otro año será». De refilón ves a Zacarías riendo, llevando de la mano un italiano a las habitaciones. La guardia te abre la puerta de la sala de teléfonos, te sientas en una silla y agarras el auricular.

—¿Sí?

—Hola, hijo —como suponías, es tu madre.

Nadie puede ser tan inoportuno como ella.

—Hola.

—¿Qué tal estás?

—Bien, mamá, estoy bien.

—Estás raro. ¿Te pasa algo?

—No, es que acabamos de jugar el partido contra los italianos.

—Ah, ¿y qué tal os ha ido?

—Hemos perdido.

—¡Oh! Lo siento mucho, hijo. Pero no te preocupes, como diría tu abuelo: al mal tiempo, buena cara. ¡Dios mío, qué hombre tan optimista era!

—Mamá, ¿no me puedes llamar en otro momento? Aquí estamos liados.

—¿Que estáis liados? Eso me han dicho hace media hora, que es lo que llevo esperando para hablar contigo. Tengo que decirte algo urgente y me dices que si puedo llamarte luego. ¿Qué clase de hijo eres? Pero dime, ¿quién te crees que eres? ¿Se puede ser más desconsiderado con una madre? La culpa la tienen esos clones que son unas mulas, que no tienen respeto a nada ni madres a las que atender, si te hubieses criado como un niño normal en…

—¡Mamá, vale ya! Mira, lo siento, pero es que es un mal momento. Tú dime qué ha pasado.

—Es tu padre.

—¿Qué le pasa?

—Ha muerto.

8

Solo han pasado dos días desde que te enteraste, más o menos el mismo tiempo que han tardado en preparar el funeral, todo un récord, teniendo en cuenta que lo han traído desde Niza. Un infarto a primera hora de la mañana en un hotel de cinco estrellas de la Costa Azul. No ha sido necesario ningún tipo de comentario respecto a las circunstancias de la muerte, a todos os parecen obvias.

Has tenido solo un par de horas con tu madre, habéis comido algo y tenido una charla, dadas las circunstancias, bastante insustancial. Después pasasteis directos al tanatorio, abarrotado de gente, todas más jóvenes que tu madre, amantes, ex mujeres, novias, hijas, amigas... Muy pocos lazos que os unan. Tu paso al velatorio se vio obstruido por una sucesión de llantos de mujeres desconocidas. Todas halagaron a tu padre y vieron en ti parte de él, esto te hizo llorar. «Ya casi no quedan hombres, y ninguno como él». «Era único en su especie». «Siempre recordaré lo bien que nos lo hizo pasar» son algunas de las frases que se dijeron. El ataúd está cerrado. Una foto de estudio en blanco y negro en la que aparece con bigote fue la elegida para presidir los últimos llantos en sociedad. Una imagen a lo David Niven para el recuerdo y es la primera vez que ves a tu padre con bigote.

Ahora estáis ya entrando en el cementerio. Seis gruesas y trajeadas empleadas de la funeraria llevan a hombros el féretro. Justo detrás, una funesta procesión de urracas que encabezas junto a tu madre y la cura.

Nunca antes habías pisado un cementerio y te das cuenta que fuera de que aquí no existen silencios sepulcrales; todas las alusiones a silencios sepulcrales fuera de estos muros son vanas exageraciones, en ningún otro lugar el viento podría hablar para tantas personas.

Los zapatos recorren transcendentales el camino asfaltado, cuidando de preservar la imperturbable eternidad de las cruces, nombres y fechas grabadas en el mármol sobre el que se dejan marchitar las flores. Una marcha solemne y mística. Se te hiela el corazón solo con pensar en el número de cadáveres que yacen bajo este suelo y en cómo tu padre, el de la foto, se descompondrá en su impecable ropa de galán. Claveles vencidos en tarros de vidrio.

La procesión termina cuando llegáis a la sepultura. Allí las empleadas de la funeraria dejan el ataúd en manos de funcionarias del cementerio, enfundadas con monos de trabajo grises que se encargan de depositar el ataúd en el hoyo.

La cura pronuncia sus oraciones, pero las

violentas maniobras de las operarias al mover la caja rompen definitivamente el hechizo del ritual. Cuando la ceremonia acaba, las funcionarias todavía trabajan cubriendo el sepulcro familiar.

Como si se encendiesen las luces, la procesión rompe filas y un ordinario murmullo se apodera de las allí presentes. Notas que todas te miran, alguien se pone a hablar con tu madre y sin más miramiento te alejas como distraído para escaquearte entre sepulturas. Recorres ávidamente las calles de otros muertos hasta la entrada del recinto. Allí hay una mujer vestida de luto fumando un pitillo, esbelta y repudiada.

Te quedas ahí plantado, no tienes adónde ir, estás demasiado lejos de la ciudad y no puedes llamar a un taxi. Además, el teléfono que te han dado de permiso está sin saldo.

—No aguantabas más ahí, ¿eh?

—¿Perdón?

—No aguantabas más con esas miradas escrutadoras, haciéndose mil preguntas sobre ti, juzgándote —dice la mujer apurando una calada—. Dan asco.

Sueltas una sonrisa, te sientes aliviado al comprobar que al menos hay alguien que entiende el apuro que acabas de pasar hace un rato.

—Todas creen que lo conocieron mejor que nadie. «Oh, sí lo conocí, era un tipo encantador» —continúa, poniendo una voz remilgada—. ¡Qué sabrán ellas!

—Ya. —Aún no has aterrizado, no sabes hasta qué punto te interesa su compañía. Te cae simpática, pero siempre puede ser una chiflada. Sea como sea estás mejor aquí que allí dentro. Te quedas expectante, absorbiendo sus palabras, su belleza madura de pelo corto de mechas rubias amoldado con espuma, su piel moreno nicotina.

—¿Sabes? Creen que lo conocieron mejor que nadie porque coincidieron con él. Mujerzuelas egoístas, esas niñas caprichosas creían que era suyo. Propiedad de cada una de ellas —sigue diciendo algo neurótica, suelta un «je» desenfadado y se lleva el cigarro a la boca—. Te miran raro porque eres una parte de él que no conocieron nunca. ¡Pues no debían de conocerlo tan bien! ¿No crees?

—Sí —afirmas con una risilla tímida e infantil.

Ella te mira, sonríe y tira el cigarro.

—Perdona, soy Carla —se presenta quitándose las gafas y tendiéndote la mano—. Eres el hijo de Eduardo, ¿no?

—Sí, así es.

—Tu padre era un buen hombre, ¿sabes? —dice mirándote con sus ojos oscuros.

—Sí, eso dicen.

—¿Eso dicen? ¿Quién, las lloronas esas? ¡Qué sabrán esas de hombres! Ellas no saben nada. Yo he conocido a muchos hombres, y cuando digo «muchos hombres» no me refiero a unos cuantos galanes de fin de semana.

Lamentas ese comentario y apartas la mirada.

—Disculpa, no quise decir eso. Tu padre y yo hemos compartido estos últimos años. Sí, dos años maravillosos.

—Entiendo —dices algo descolocado.

—La mayoría de las mujeres mueren sin conocer a nadie, sin que un hombre les llegue a abrir el corazón. Ninguna de esas mujeres sabe cómo era tu padre realmente, créeme.

—Quizá yo tampoco.

Ella se te queda mirando.

—Tu padre me dijo que tenía un hijo que no veía desde hacía años. Yo le preguntaba por qué no iba a visitarlo. Él decía que debías de odiarlo por dejar que te encerrasen. Si él pudiese volver atrás, lucharía por que no te metiesen en ese centro. Siempre dijo que había sido un cobarde hasta que me encontró a mí —dice con los ojos llorosos.

—Yo no le odiaba.

—No sabes cómo se alegraría de oír eso —dice con una sonrisa compasiva.

—Nunca le odié, no se puede odiar a un padre que no existe.

—Oh, ¿cómo puedes hablar así? —pregunta Carla disgustada—. Él sí que existió, y te quería, le faltaba el cariño de un hijo, igual que a ti el de un padre.

—Puede que echase en falta el cariño de un hijo, porque él sabe lo que es ser padre y ser hijo, supongo que eso es lo normal. Pero de donde yo vengo no hay padres ni hijos, solo hay hermanos. Todos los del centro somos hermanos. Ese es el único parentesco que tenemos, es lo único que se nos permite ser. Una gran familia de hermanos huérfanos.

—Puede que para los clones sea así, pero ¿qué hay de tu madre? ¿Y tus hermanas?

—A mis hermanas ni las conozco, y mi madre… en fin. Solo le importan sus viajes y pasarlo bien con sus amigas. Seguro que presume de tener un hijo varón encerrado en un centro de preservación.

Ella te mira muy triste y, por un breve momento, desolada.

—¿Y qué vas a hacer? —te dice fría.

—Me gustaría ir a la ciudad —contestas guardándote el énfasis con tal de que te hagan ese favor.

—Si quieres te llevo —dice ella con sagacidad y ánimo de complacerte, a pesar de no esperar esa respuesta.

—Sí, gracias. Sería muy amable por tu parte.

—Vamos.

Avanzáis entre las hileras de coches aparcados; igual que los ataúdes en las sepulturas, están todos perfectamente colocados por orden de llegada mientras las propietarias y los muertos siguen ahí dentro, en el cementerio. Este lugar te abruma, cuanto antes te alejes de él, mejor.

El coche de Carla resulta ser todo un clásico, un robusto todoterreno de los de antes. Enormes ruedas, una carrocería exageradamente elevada sobre estas y un ruidoso motor de explosión.

—Vaya... —dices impresionado—. Menudo coche...

—¿Te gusta? —pregunta abriéndolo con el mando—. A tu padre le encantaba, lo compramos a medias. Le parecía muy varonil. Solía comentar que el que dejaran de nacer niños varones no solo fue una desgracia para la humanidad, sino también para la automovilística —dice soltando una risa melancólica.

—Sí, casi nada es como antes —añades sufriendo el esfuerzo de paralizar tu gesto en el momento en que esbozas media sonrisa. Te invade la tristeza al pensar que, aunque hoy puedas pasar el día en la ciudad, mañana tendrás que volver al centro.

Los recuerdos fugaces de algún fotograma y de cierto espíritu infantil se apoderan de ti al subir al automóvil. Hincas el pie en la plataforma que hay bajo la puerta del copiloto y subes a bordo con el mismo ímpetu con el que uno se monta en un vehículo militar.

Te sientas como en un trono, el interior del automóvil parece más amplio que el de las limusinas del centro, más cómodo, y puedes mirar al resto de coches por encima del hombro. Carla arranca el motor y el coche entero ruge, tú sonríes.

—¿Qué pasa? —dice Carla.

—Nunca había montado en un coche a gasolina.

—¿En serio?

—Sí, creía que ya solo se usaba para camiones y cosas así.

—No, aún queda alguno que otro en circulación. Claro que el petróleo no es lo que era, pero todavía quedan muchas mujeres que se siguen ganando la vida con él, ¿sabes?

—¿Y dónde repostas?

—Aún se pueden encontrar unas pocas gasolineras. Por aquí cerca creo que hay una.

—Ah.

Hay una breve pausa antes de ponerse en marcha.

—Si quieres te dejo llevarlo un rato —dice ella, amable y en un tono excesivamente familiar.

—No, gracias, no sé conducir.

Con esta última afirmación se rompe lo que parecía ser una conversación fluida. Avanzáis en silencio apenas durante un minuto rumbo a la ciudad cuando ella te vuelve a hablar.

—¿Quieres un pitillo? —Saca un pitillo de la cajetilla sin quitar los ojos de la carretera.

—No, gracias, no fumo.

—Haces bien. ¿Me das fuego? Si no te importa. El mechero tiene que estar por ahí.

Encuentras el mechero, lo prendes y se lo acercas al cigarro.

—Gracias —dice ella soltando humo por boca y nariz.

Abre el cenicero, ha sido vaciado hace poco, pero ya guarda un par de colillas espachurradas.

—Oye, ¿puedo preguntarte algo? —dice Carla.

—Sí, claro.

—¿Cómo es la vida en el centro? ¿Qué hacéis allí? —te pregunta después de aspirar confianza en unas caladas rápidas.

—Pues hacemos talleres, ya sabes, actividades de artesanía, nos enseñan a coser, cocinar, carpintería, circuitos…

—¿Y qué más hacéis?

—¿A qué te refieres? —preguntas casi ofendido por tener que justificar algo delante de la novia de tu padre.

—¿Es eso lo que hacéis durante todo el día?

—No —contestas aliviado al comprobar que estás ante una entrevista curiosa y no ante un interrogatorio—, eso lo hacemos durante dos o cuatro horas, depende. Hay gente que se apunta a más talleres que otra. Yo estoy en electrónica, aunque siempre intento complementarlo con algo más, ya sabes, se supone que es nuestro futuro —dices con una sonrisilla triste y borreguil, impropia de ti. Cuando hablas de vuestra situación en el centro siempre te muestras reaccionario y reivindicativo. ¡¿Qué diablos te pasa?!

—¿Y qué hacéis el resto del día? —te pregunta sin quitar ojo de la carretera.

—Pues, aparte de entregar las extracciones de recogida, ya sabes, hacemos deporte, nos mantenemos en forma, vemos la televisión, películas…

—Entiendo. ¿No hacéis nada más?

—Dormimos, comemos y todo eso. También tenemos una biblioteca, aunque no la usamos mucho, entre el deporte y los talleres no tenemos demasiado tiempo.

—Ya —dice solemne, con aire decepcionado.

Su reacción te disgusta, estabas empezando a estimar su conversación y no quieres que pierda el interés. Ya son pocas las mujeres que te preguntan por la vida en el centro, pero esta es la primera a la que tus respuestas no parecen satisfacer. Un tufillo a fracaso marchita tu orgullo. Las clases de dialéctica aplicada al trato en relaciones no ofrecen ninguna explicación al desencanto de esta mujer. Estás desconcertado.

—¿Dónde quieres que te deje? —dice al fin.

—Me da igual, en cualquier parte, donde te venga bien, por la zona del centro —respondes sin saber adónde ir.

—¿En cualquier parte?

—Sí, en cualquier parte.

—Ya, en cualquier parte —murmulla con el pitillo en la boca, parada en un semáforo a la entrada en la ciudad—. Escucha, debes tomar una determinación —prosigue en un tono abiertamente maternal—. ¿Tienes algún plan para cuando salgas del centro?

—No, lo normal, supongo.

—¿Qué es lo normal?

—No lo sé, buscarse la vida como se pueda, se supone que los cursos y los talleres están para eso, para poder ganarnos la vida después.

—Así que no tienes ningún plan...

—Bueno, aún soy joven.

—Ya, y para cuando necesites un plan serás demasiado viejo como para que te importe dónde te dejes caer muerto. Esas asquerosas fascistas lo tienen todo bien pensado.

—Sí —dices ahora entusiasmado—, yo siempre digo que tenemos que defender nuestros derechos. Pero es que nadie me hace caso, allí reina el conformismo. Cada vez nos recortan más los presupuestos, cada vez tenemos que renunciar a más talleres y ellos solo piensan en fútbol.

Se enciende la luz verde del semáforo y os volvéis a poner en marcha.

—¿Y no les interesa progresar?

—Llevan toda la vida haciendo lo mismo, viviendo entre esas cuatro paredes, año tras año hacemos exactamente lo mismo que el anterior. Allí el progreso se ve como algo que sale en las noticias, es el descubrimiento de planetas nuevos, que suba la esperanza de vida y que inventen aviones más rápidos, nada más. El progreso es algo ajeno a ellos, nunca lo han visto de cerca y no esperan verlo. Ellos son así y no quieren cambiar.

—Pero tú sí quieres cambiar...

—Sí, pero no tengo muchas opciones —dices enfurruñándote como un niño—, allí nadie me hace caso.

—Si no te hacen caso, que no te hagan caso. Tú vete a lo tuyo —afirma con diligencia—. Con el gobierno que hay ahora es verdad que no tenéis muchas opciones, pero las cosas pueden cambiar. Quién sabe lo que os depara el futuro. Hay que estar preparado, a lo mejor un día tienes una oportunidad, eso nunca se sabe —enfatiza.

—¿Pero qué puedo hacer? ¿Prepararme para qué? En el centro ya hago todo lo que se puede hacer.

—¿Y fuera?

—¿Fuera? —repites extrañado.

—Sí, fuera del centro. ¿Conoces a alguien, tienes alguna amiga?

—Bueno, tengo una amiga —dices pensando en Rita.

—¿Y qué tal es?

—Bien, nos conocemos desde hace años. Lo pasamos bien juntos, es abogada.

—¿Estaría dispuesta a echarte un cable?

—Sí, supongo que podría hacerme algún favor —comentas con simpleza.

—Necesitas alguien que dé la cara por ti ahí fuera, ¿entiendes? Que monte revuelo, que salga en los medios. Y cuando eso pase, ya verás cómo tus compañeros del centro se empiezan a interesar por sus derechos. Lo importante es tener a alguien ahí fuera, llegar a los medios —repite—, si sales en las noticias ya verás que todo el mundo te toma en serio.

«Lo importante es tener a alguien ahí fuera», estas palabras se te clavan como dardos reveladores. Alguien ahí fuera... alguien más, algo más. La chica que barría delante del Zenit, aquella sonrisa oriental... Se veía tan simpática, tan honesta. Sus ojos cargados de ternura, su tersa y espumosa tez en la que, su único pliegue surge su suave nariz espolvoreada con tenues pecas. Ajeno a todas las imágenes reales, absorto por el recuerdo de aquel delicado tallo que brotaba de entre las sucias ropas de trabajo sobre el que reposaba el loto por el que, de pronto, ansías que pueda dejarse caer entre tus manos.

—... lo importante es moverse. Al gobierno le da igual lo que penséis —continúa Carla—, lo que sí le importa es la opinión pública, por eso hay que pronunciarse en el exterior.

—Entiendo —dices conforme, ya con la cabeza en otra parte—. Oye, Carla...

—Dime.

—¿Podrías dejarme en el jardín que hay cerca del Zenit?

—Sí, yo te dejo allí, lo que pasa es que ahora tengo que dar un poco de vuelta, si me lo hubieras dicho antes...

—No, si no pasa nada, déjame aquí, es que creo que puedo ir a hacer una visita a alguien.

—¿Tu amiga?

—Sí —mientes por la pereza de explicar nada.

—¿Crees que te puede echar una mano?

—Sí, creo que sí.

—Estupendo —dice haciendo la rotonda entera—. ¿Te dejo en la esquina del kiosco?

—Sí, me viene bien.

Dobla la esquina, aparca y se pone a buscar algo en el bolso.

—Muy bien, escucha, cuando quieras puedes llamarme. Toma, aquí está mi teléfono —dice sacando una tarjeta de visita de una gran cartera de la que asoman billetes grandes, lisos y pulcros, con el tarjetero repleto y ceñido. En un vistazo sobre el contacto puedes leer: «Carla Manzano, Agencia literaria».

—Vivo en Barcelona, pero puedes llamarme cuando quieras y para lo que sea. ¿Vale?

—Vale.

Ella te da un beso en la mejilla. Check

—Anda, pásalo bien y aprovecha el tiempo —te aconseja con una sonrisa—. Y por lo de tus compañeros del centro no te preocupes, si no son capaces de vislumbrar el cambio, ya lo verán. No importa que no estén dispuestos a apoyarte en la lucha por sus derechos, no pienses en lo que ellos puedan hacer por ti, piensa en lo que tú puedes hacer por ellos —culmina con un aire de maternal erudición.

—Muy bien, muchas gracias por todo —dices quedándote a medias, sin saber cómo corresponder, estás a punto de devolverle el beso en la mejilla, pero definitivamente lo ves fuera de lugar. Os decís adiós y el coche arranca, yéndose en un rugido, dejando tras de sí tanto humo.

Te quedas desocupado en la esquina del kiosco y aún son las seis y veinte de la tarde. Si todavía sigue con el mismo horario, la chica de rasgos asiáticos no pasará por el Zenit hasta por lo menos las nueve o las diez, lo que supone tres horas desprovistas de planes y entretenimiento. Te llevas la mano al bolsillo y miras el móvil. Planteas la posibilidad de que alguien te llame. Si fuese tu madre no piensas cogerlo, si llama Rita; puede. Si tuvieses su número la llamarías, solo para tomar un café antes de las diez, pero no tienes ni su número ni saldo. Los móviles del centro os los dejan para salidas especiales y no tienen agenda. Atraviesas la calle y te adentras en el parque solo por matar el tiempo. Las piedrecitas que hay sobre el suelo de tierra compacta rasgan las hojas secas que cubren el paseo. La gente con la que te cruzas te mira y aparta la vista.

Caminas despacio, contemplas el ocre otoño ajardinado como si fuese una colección de lienzos de gran valor entre los que buscas un regodeo incapaz. Aceleras el paso al ver el estanque, no sabías que aquí hubiese uno, siempre te emociona ver animales. Patos y cisnes. Te arrimas a la barandilla y te quedas ahí plantado. Los miras fascinado, los cisnes son siempre tan majestuosos respecto a las demás aves. Los patos te resultan graciosos, un grupo de tres anda merodeando, esperando a que alguien les eche unas migas; entonces, salen disparados graznando, cuac, cuac, cuac, como tres idiotas en una absurda competición. Por alguna razón te recuerdan al pabellón de gimnasia.

Hay un par de cisnes negros; una niña y su madre les están dando de comer y los patos no se acercan a su territorio. Están los dos alimentándose de las migas de pan que recogen del agua con su pico rojo, luego volver a estirar levemente su cuello hasta la forma de gancho original. No tienen el aspecto refinado de los cisnes blancos, pero en ellos hay una viveza y una pasión extraordinaria, un aspecto dragontino que da la impresión de que bajo su carbónico plumaje oculten el mismo magma. Hijos del volcán.

En cierta ocasión oíste que a los incidentes pocos comunes y de gran repercusión también se les llama cisnes negros, tal vez este sea un presagio.

A ti la gente también te mira como si fueses un ave exótica y tú, como si ciertamente fueses un pavo real, ni te inmutas. Sientes que estás por encima de ellos, intuyes en ti algo tan noble que ni te importa ser observado.

Pronto se pone a llover. A las aves del estanque no parece importarles, las madres e hijas que te miraban de reojo mientras daban de comer a los patos se retiran al momento, poco después tú también buscas refugio.

Son las siete pasadas cuando entras en el café Rémora, que está justo al lado del Zenit. Te sientas en una mesa enfrente de la ventana y pides un té. Todo el mundo te mira mientras tú te las das de dandi. Por mucho que te esfuerces ya no te sientes el ser impasible que contemplaba a los patos. Te muestras indiferente, pero este ya no es un distinguido alarde de elegancia, sino un mecanismo de defensa que usas cuando estás incómodo.

La cafetería tiene demasiada clase como para tener televisión. En el hilo musical suenan insulsas versiones de temas populares ligeros, a piano. Pedirías un periódico, una revista o lo que sea, pero te da vergüenza. No te atreves ni a levantarte a por la prensa. Es la primera vez que entras solo en una cafetería, nunca antes, ni cafeterías ni bares ni restaurantes ni nada. Tienes miedo de que al levantarte la camarera te retire la consumición o de que alguien te robe el sitio; probablemente no sea así, pero no quieres arriesgarte, la mesa está en una posición privilegiada para observar la calle, no te perdonarías perder la oportunidad de volverla a ver.

Levantas la mano y pides otro té. Por un momento estás a punto de pedirle también un periódico a la camarera, luego piensas que ojalá hubiese una televisión. Finalmente decides que no necesitas nada de eso, son solo distracciones. Miras a la gente pasar tras la ventana.

Estás a punto de acabar la segunda infusión cuando te percatas de que tal vez haya sido demasiado, no estás acostumbrado ni a la teína ni a la cafeína. Entras en un estado de ansiedad. En la calle las mujeres de abrigos desprovistos de gusto pasan de largo; las que vienen de frente te miran mal sorprendidas, como a un horror. Tripas desparramadas sobre una alfombra persa.

Todas esas señoras que pasan por delante de la ventana te miran, bajan la vista y vuelven a mirar, son mil males de ojo. Todavía te queda una larga espera, echas un vistazo al interior de la cafetería; todas parecen estar atendiendo a sus asuntos, conversaciones privadas dinámicas, buenas ropas y buenos modales. Tras el cristal pasean viejos mundos derruidos, adentro, todo en orden. Sigues lleno de ansiedad. Se te ocurre la idea de que nadie del café excepto tú puede ver a través de la ventana, bobamente te da la risa.

Pasas otra larga media hora intentando disfrutar ese nerviosismo que te ha proporcionado el té mientras ves pasar señoras a través de la ventana. Te entretienes buscando imperfecciones en sus bustos: dobleces, papadas, bocio, gestos duros, vello facial exagerado, granos, verrugas, cicatrices, dientes torcidos, tabiques nasales imperfectos, ojos desviados... Cualquier cosa te entretiene, es divertido reírse de las mujeres que pasan por la calle porque a este lado de la ventana no te pueden hacer nada.

La teína deja de hacer efecto, miras un rato más por la ventana y se hacen las ocho y media. Puede que la chica aparezca dentro de diez minutos o de tres horas. Sea como sea, a cada minuto que pasa hay más posibilidades de que ella aparezca. Lo mejor es ir cenando.

Echas un vistazo al menú. Todo parece muy refinado y poco consistente. Te decides por paté de calabacín con queixo do Cebreiro y brioche, se lo haces saber a la camarera y pides una cerveza.

—Hola, encanto —dice alguien enfrente de ti, es una mujer de unos treinta y pico, trajeada y algo maqueada. Se ve que se cuida, tiene el cutis intacto y lleva una media melena repeinada con gomina.

—Hola —dices.

—¿Puedo sentarme? —pregunta con media sonrisa, guiñando el ojo de forma extraña.

—Estoy esperando a alguien.

—Sí, ya veo que llevas esperando un buen rato —dice sentándose—. ¿Qué pasa, te ha dado plantón tu clienta? —te interroga con el paladar cargado.

—No espero a ninguna clienta —dices severamente mientras la camarera te sirve la cerveza.

—Póngame a mí otra —dice espontánea la mujer a la camarera—. Y dime, si no esperas a una clienta, ¿se puede saber qué hace un chico como tú en un sitio como este?

—Ya te lo he dicho, espero a alguien, así que es mejor que te marches —dices.

—Venga, llevo una hora viéndote mirar por la ventana como un perro abandonado. No va a venir nadie —dice ella en un tono soberbio y descarado, volviendo a hacer algo raro con el ojo—. Te han dado plantón, ¿y qué? ¡No pasa nada! La vida sigue, ahora estamos tú y yo, aquí, aprovechemos el momento nene.

—Déjame en paz —dices, mientras la camarera le sirve a ella la cerveza; mal asunto, ahora no habrá quien la eche.

—Nos podemos tomar estas cervezas —dice arrastrando su gorda lengua y sin poder controlar el espasmódico tic en el ojo—, te llevo a cenar al Zenit, nos tomamos unas copas y lo pasamos bien. ¿Qué te parece? Por supuesto pagaría tus honorarios, claro —termina poniendo una voz rasgada y grave, embriagada de una depravación aduladora; sacando al final media sonrisa oscurecida por años de adicción a la nicotina.

—Te he dicho que me dejes en paz, que no quiero saber nada de ti —dices agobiado, esta tía está resultando ser el peor de los estorbos, no te atreves a montarle el numerito, tienes miedo de hacerlo y que te echen. Puede que esta cerda no se largue nunca y, aunque tú te vayas podría darle por seguirte o hacer cualquier tipo de mamonada.

—¿Sabes una cosa? —dice como si no oyera tus réplicas—. Me encantáis los que vais de remilgados, sois los que mejor folláis. Yo también sé un par de truquitos, ¿sabes? —Termina en el tono punzante e invasor típico de ejecutivas agresivas pasadas de vueltas.

—¡Que me dejes en paz! —Ahora toda la cafetería os mira, la camarera se acerca.

—¿Le está molestando? —te pregunta.

—Sí, me está molestando, no sé quién es. Se ha sentado aquí y ha empezado a molestarme.

—¡Venga, mujer! Tampoco es para ponerse así —te dice abriendo sus brazos en un gesto de queja desenfadada.

—Hombre —replicas—, si no te importa.

—Perdona, HOMBRE —dice recalcando la palabra—, es solo una frase hecha. A los chicos de hoy en día les parece mal cualquier cosa —comenta ahora a la camarera.

—Acompáñeme a la salida —dice la camarera, cogiendo por el brazo a la mujer invasora.

—Tranquila, ya me voy —espeta, poniéndose de pie y zafándose de la camarera—. ¡Ya he perdido demasiado tiempo con este maricón! —dice alzando la voz, levantándose y marchándose sin más. Todo el mundo se te queda mirando.

—Disculpe las molestias señor, nuestra clientela no es de esa calaña.

—No pasa nada, en todas partes hay gilipollas —dices por decir, en realidad no sabes qué es lo que hay en casi ninguna parte.

La camarera asiente y se va. Al otro lado de la ventana la mujer que acaban de echar te mira y se pasa la mano por la entrepierna haciendo un gesto obsceno mientras arruga su cara como un demonio, torciendo grotescamente los ojos y sacando la lengua. Inmediatamente después te hace un corte de manga. Se te hiela la sangre, esta humillación no parece tener final. El pánico se apodera de ti. Ella sigue caminando, para un taxi y se va. Te quedas aliviado, cuando andas solo por ahí nunca se sabe, hay mucha chalada, no sería la primera vez que a alguien del centro le pasa algo.

Traen la comida, un tarro con paté, una rodaja de queso y el brioche. A través de la ventana ves llegar una limusina de la que se bajan galanes del centro que entran en el Zenit. Una vergüenza inesperada te invade. No quieres que la educada gente de la Rémora te relacione con ellos, así que agachas la cabeza para que no te vean. Retorcido en tu asiento, despedazas el brioche y lo empiezas a untar. Pegas un bocado, está bueno, bebes cerveza. Posas la jarra en tu reducida mesa, arrancas otro pedazo del bizcocho y coges el cuchillo, te sientes como si estuvieses manejando uranio a través de una vitrina con manguitos, cortas un poco de queso, lo untas en el pan, echas un vistazo afuera, miras a la camarera. Cuando pase cerca le pides otra cerveza, con el cuchillo recoges un poco de paté, lo untas sobre el queso, sueltas el cuchillo, comes, miras por la ventana, miras a la camarera, coges el cuchillo, la camarera pasa cerca, sueltas el cuchillo, pides otra cerveza, coges el cuchillo, cortas un poco de queso, miras por la ventana...

Cenar se está convirtiendo en una tarea muy estresante, a medida que avanzas te das cuenta de que el brioche no va a llegar para untar toda la comida, así que cada vez untas más comida en pedazos más pequeños y tus manos se van volviendo pegajosas, aparece otra limusina y vuelves a contorsionarte sobre la silla, pero esta vez alguien te saluda y torpemente le saludas con la mano manchada de restos de paté.

Apuras las últimas migajas de comida montándolas unas encima de otras; desmoronándose en diminutos y chapuceros tótems gastronómicos. Entonces ves pasar a una barrendera empujando un cubo de basura. Te lo metes todo en la boca y te levantas.

—¡Camarera! —gritas con la boca llena—. ¡Camarera! ¿Cuánto es? —No se te entiende nada.

—¿Perdón?

—Que cuánto es —dices, ya tragando.

—Espere un segundo que ahora voy —responde ella, yendo hacia la barra.

No hay tiempo para que vaya a hacer la cuenta. Te llevas la mano al bolsillo, sacas dinero de sobra y lo dejas encima de la mesa. Vas a salir corriendo, pero reparas en que aún tienes las manos sucias. Coges la servilleta y te limpias rápidamente las manos y la boca. Ahora sí sales disparado. Sales a la calle y ya no la ves. Hacia donde fue ella hay dos bocacalles a la izquierda. La primera da a una calle estrecha y poco iluminada, la siguiente es una calle comercial; tomas la segunda opción. Corres mientras terminas de limpiarte las manos a base de chuparte los dedos y esquivas a la gente. Hay demasiado bullicio, no ves a nadie. Avanzas un poco más y ves a una barrendera en la otra acera, pero no es ella, seguro que no es ella. Ya estás demasiado lejos del punto de partida, has pasado de largo de varias calles, a saber dónde ha ido. Vuelves camino a La Rémora, pensando en ella y en cómo te sonrió, no sabes por qué, pero se ha vuelto muy importante para ti, un rayo de sol, un contacto en el mundo exterior, alguien nuevo, alguien a quien le importes ahí fuera. Avanzas lento y pesimista hasta que escuchas el sonido metálico de un recogedor chocando contra el suelo, al que le prosigue la fricción de tres cepillados que suenan como una frase hecha.

9

Tenue y oscura, polvorienta. Como cubierta por una capa de uniforme porquería. No tiene el aspecto de una calle auténtica, más bien el del decorado de un estudio de cine. Puede que otro día no, pero hoy esta calle está en Hollywood. El resto de personas que la transitan caminan desenfocadas o fuera de plano. Ella barre nítida y radiante; su moño, ligeramente deshecho, deja escapar un largo mechón de absoluta melena. Su rostro sereno sobre un fondo irrelevante y borroso. Su cuello y su mirada hacen sonar una música íntima y delicada que casi hace extrañar el sonido que produce el cinematógrafo al pasar la película. Al verte prisionero del clímax, sientes que solo tú puedes estropear este momento. Ella te sonríe como la primera vez, le correspondes y, ahora sí, avanzas hacia ella con aparente confianza, sonriente, temblándote las piernas.

—Hola —dices tontamente.

—Hola —responde alegre y con fuerza, dejando de barrer, aunque aún con el cepillo y la pala en la mano.

—¿Qué tal? —preguntas como si fuese la primera vez que hablas con una chica: al borde del abismo y aún entusiasta.

—Bien, trabajando… —dice ella riéndose.

—¿De qué te ríes? —preguntas sonriendo cada vez más bobo.

—De nada —contesta seria, aunque después le vuelve a dar la risa, tú también te ríes.

—El otro día me estabas mirando —dices todavía risueño.

Ella deja de reír, esto último no le ha gustado. Sigues sonriente, pero se te corta el estómago. No sabes por qué, pero lo último que has dicho ha estado mal. Sea lo que sea, ha sido un error.

—¿Y qué si te estaba mirando? Algunas nos tenemos que conformar con eso —dice volviendo al trabajo.

—No, no. Lo que quería decir es que yo también te estaba mirando —dices mientras ella aún cepilla el pavimento—. He venido a buscarte, quiero conocerte.

—No tengo dinero para pagarte —dice ella, a lo suyo.

—Nunca lo aceptaría —contestas al instante.

—No me tomes el pelo…

—En serio, quiero tener una cita contigo, una cita de verdad. Nosotros dos, sin dinero.

—Vale, tío, no sé de qué vas, pero sí sé que cada vez que salís del centro tenéis que pagar un porcentaje de impuestos.

—¿Y qué?

—Qué por qué ibas a querer perder dinero con una barrendera —dice dejando de barrer—.

No sé a qué viene esta tontería, pero no tiene gracia.

—No, no tiene gracia. Tienes la sonrisa más bonita que he visto nunca. Desde que te vi la otra noche no quiero estar con ninguna otra, creo que se puede decir que me tienes un poco obsesionado —respondes llanamente, para después concluir—. Y tienes razón, no tiene ninguna gracia.

Ella se relaja, ya no parece enfadada, pero se queda callada mirándote con los labios exhaustos, encuadrada en un primer plano levemente picado.

—He estado horas sentado al lado de la ventana de la Rémora —dices—, esperando a que pasases, tuve que salir corriendo, no sabía dónde te habías metido, creí que te había perdido.

—¿Es verdad que me estuviste esperando? —pregunta sin poder contener su espléndida sonrisa.

—Claro... —contestas tú justo antes del beso.

El culmen llega torpe, acelerado. Entre vuestras bocas no ha habido una conexión perfecta. Ella ha empezado algo ansiosa y tú estabas nervioso. La coges por la cintura, sumerges tus manos bajo el abrigo de trabajo, sientes su cuerpo menudo y firme a través de la tela del mono. La arrimas hacia ti y el beso, la música, la pasión, la revelación... Todo se vuelve tan intenso que no puedes mirar. No importa nada más mientras dure. De pronto ella se aleja y te susurra al oído.

—Tengo que seguir trabajando...

—Vale —dices tú.

Ella continúa barriendo el pavimento mientras tú caminas a su lado, te ofreces a ayudarla, pero no quiere, dice que si la ven dejando que su trabajo lo haga otro la echarán. Le preguntas cosas de ella y te cuenta que no sale mucho de noche, que vive sola en un pequeño estudio cerca del puerto, que la casera no es agradable, pero el alquiler es barato. A los dieciocho años ya se había independizado. Desde entonces ha pasado por diferentes empleos, hasta llegar a barrendera municipal; dice que no es el mejor trabajo, pero sí el más estable que ha tenido. Tiene dos hermanas pequeñas que van al instituto y viven con su madre en Lugo. No las ve muy a menudo, aunque no ha perdido la relación. Dice que le gusta la música y practica natación.

—Mi madre y yo no nos llevamos bien, a veces me da la sensación de que siempre está en mi contra... Y claro, yo al final acabo explotando, no es que ella sea mala persona... Es difícil de explicar, es complicado.

—Entiendo...

—¿De verdad? —dice depositando la porquería del recogedor en el cubo.

—¿Qué?

—¿De verdad lo entiendes? —insiste empujando su carrito.

—Sí, a mí me pasa lo mismo con mi madre. No nos llevamos mal, es solo que ella no es capaz de entender mi situación, siempre anda contándome cosas de ella, pero cuando yo le cuento las mías me da la sensación de que no me escucha.

—Sí, es justo eso. Siempre está echándome cosas en cara, por lo que hago o dejo de hacer. Lo recuerdo así de toda la vida, a mis hermanas las trata de otra manera. Es como si yo hiciese siempre todo mal, da igual lo que hagan ellas, lo mío va a ser siempre peor.

—Ya —dices pensando que aunque ella tenga familia puede que esté más sola que tú. A su lado eres un privilegiado, siempre puedes contar con los chicos del centro.

—¿Y tu padre? —dice con un tono interesado y cortante.

—¡¿Qué?! —exclamas precipitadamente, totalmente desprevenido, escurriéndote por el vértigo. ¿Cómo puede ella saber eso?

—Tu padre. ¿Tienes padre, no? No eres un clon. Todos los que no sois clones tenéis padre, ¿no?

—No, no todos —dices inexpresivo, casi pareces despreocupado—. Aunque yo tenía uno... Hoy vengo de su entierro —terminas con una serenidad sentenciosa.

—¿En serio?

—Sí —contestas, sobrio, triste y circunstante.

—Lo siento mucho.

—No importa.

—Claro que importa.

—No, no importa, hacía años que no hablaba con él. Habíamos perdido el contacto, ¿entiendes? Ya hace tiempo que había asimilado que no íbamos a volver a vernos.

—Eso que dices es muy triste —dice ella.

Tú no dices nada. Unos instantes de silencio, aunque ella no detiene el carrito.

—Da igual, no te preocupes, además hoy he conocido a la novia de mi padre. Y me ha abierto los ojos.

—¿Ah, sí?

—Sí, no puedo estar toda la vida encerrado en el centro de preservación. Tengo que ir más allá. Tengo que luchar desde fuera. Quiero luchar por un futuro, por eso estoy aquí. ¿Entiendes?

—Sí, claro.

—Quiero poder compartir mi vida con alguien —dices cogiéndole la mano cubierta por el curtido guante.

El carrito se ha parado en seco, le miras a los ojos. Hermosos, definidos, sordos, como en una fotografía. Su labio inferior hace movimientos extraños. No son temblores, se estira y contrae en leves espasmos. Está resistiéndose a sonreír, es algo que ya has visto antes. Desnudas su mano. Bajo el tosco guante de trabajo hay una mano estrecha y fina, con unas uñas muy pequeñas. Tontamente se la besas, ella resopla y ríe. Te has vuelto un bobalicón. La besas un poco y se aparta.

—No puedo, estoy trabajando.

—Claro, perdona.

—¿Y qué piensas hacer? ¿Pedirme matrimonio?

—Tal vez.

Ella ríe y se sonroja.

—No quiero ser aguafiestas, pero para eso tienes que salir del centro de preservación y aún eres muy joven, y si la cosa no cambia te quedan muchos años. Así que… ¿tienes algún plan o solo construyes castillos en el aire?

—Tengo que hablar con mi amiga Rita, es abogada, creo que ella podrá ayudarme. Allí encerrados poco podemos hacer, hay que luchar desde fuera, por vías legales. No sabes cómo es la vida en el centro, nos pasamos el día viendo películas, haciendo talleres y gimnasia para estar en forma para las citas, si no hay citas no tienes dinero. El dinero de las pensiones es ridículo y es solo para cuando salgamos del centro. Eso no es vida. Los hombres tenemos que luchar por nuestros derechos.

—Sí, eso es verdad.

—Perdona, no quería quejarme delante de ti.

—No pasa nada, lo entiendo, es normal.

Ella cruza la calle y tú la sigues. Vais los dos callados, solo se oye el chirriar de las ruedas del carrito. La admiras, te da pena que trabaje de barrendera, has conocido a muchas chicas y ella es la mejor de todas, pero no ha tenido tanta suerte.

—¿Sabes lo radiante que eres? —dices sin saber definir tu admiración.

—Escucha, esto no tiene ningún sentido, yo no tengo dinero, y mientras no os dejen salir libremente del centro no nos volveremos a ver.

—¿Estás libre el sábado a la hora de comer?

—Sí.

—Llama al centro y pide una cita conmigo.

—Pero no tengo dinero ni para hacer la reserva…

—No te preocupes, tú hazlo. Te lo devolveré cuando nos veamos, tengo algo ahorrado.

—¿Y dónde quedamos?

—Me da igual, donde te apetezca. Haremos lo que te guste hacer, estoy harto de ir siempre a los mismos sitios, quiero que me enseñes cosas nuevas. Quiero conocerte.

Ella sonríe inocente y pura como una niña, mientras suena un teléfono móvil.

—Aún no me has dicho cómo te llamas —dices.

—Candi —dice sencillamente.

—¿Candi? —respondes sonriendo—, ¿en serio?

—Sí, todo el mundo me llama así.

—Candi… —repites—. ¿De Cándida? —Suena el teléfono.

—¿Qué pasa? —dice ella a la defensiva.

—Nada, nada. Está bien, solo que me imaginaba un nombre que te pegase más. —Sigue sonando.

—¿Un nombre que me pegara más? —pregunta, mientras el móvil suena cada vez más fuerte—. ¿Como cuál?

—Yo qué sé, no lo sé. Otro, tipo Laura o Lucía, uno más normal.

Ella serena su expresión, no hay nadie en la calle. Su teléfono suena y no lo coge, te encuentras ruborizado.

—¿Es que no lo vas a coger? —dice ella.

—¿Qué?

—El teléfono.

—Yo no tengo teléf… —Recuerdas el teléfono que te han dado en el centro, es la primera vez que te llaman, no tenías ni idea de cómo sonaba, creías que era el suyo. Rebuscas en tus bolsillos y por fin das con él. Contestas.

—¿Sí?

—Hola, ricura. —Es Rita.

—Hola, Rita —dices haciéndole un gesto a Candi.

—Me he enterado de lo de tu padre, ¿qué tal estás?

—Bien, bien, no te preocupes —dices tranquilamente, para dirigirte a Candi justo después, entrecortado—. Es Rita, mi amiga abogada.

—¿Seguro? Ya sabes que para cualquier cosa que necesites estoy aquí —contesta desde el teléfono.

—Sí, ya lo sé. Y puede que te necesite.

—¿En serio? ¿Dónde estás?

—No lo sé, en una calle cerca del Zenit, aunque eso no importa.

—¿Qué dices? ¿Qué haces ahí? Vete hasta el Zenit, ahora mismo mando un taxi a buscarte.

—No es necesario…

—¡Claro que sí! Estoy en una exposición, hay mucha gente interesante, te gustará, lo pasaremos bien. Ahora mismo mando un taxi a buscarte, y no te preocupes que lo pago yo, va de mi cuenta.

—Pero…

—No me seas tonto y vente. ¿Vale?

—Bueno.

—Bien, te espero aquí —cuelga.

Te vuelves hacia Candi, que ha vuelto a su labor, de repente está muy concentrada en el trabajo.

—Era Rita, mi amiga abogada.

—Eso ya me lo has dicho —dice seria.

—Oye, no sé si te ha parecido mal lo del nombre, a mí Cándida me encanta, es un nombre muy original, no me lo esperaba. De donde vengo yo todo el mundo tiene el mismo nombre, no te enfades.

Ella sigue cepillando el arcén, de vez en cuando te mira como si te fuese a clavar un cuchillo en el estómago, sin parar de barrer deja escapar otra sonrisa.

—Da igual, Cándida es un nombre horrible —dice riendo.

Tú sonríes y miras hacia otro lado.

—¿Has quedado con ella? —continúa.

—Sí, me dijo que iba a mandar un taxi a buscarme al Zenit. Pero no voy a ir.

—¿Por qué no?

—Porque prefiero estar contigo.

—No seas idiota. Ya estaremos juntos el sábado. Dices que ella te puede ayudar a salir del centro, ¿no?

—Sí, creo que sí.

—Pues vete con ella. Además, yo voy muy retrasada.

—Candi.

—Dime.

—Me he alegrado mucho de conocerte.

Os despedís en un prolongado abrazo y os besáis. De nuevo sientes su cuerpo, anhelas su piel, pero no es el momento.

—Hasta el sábado.

—Hasta el sábado.

10

Pasan de las once de la noche. El tráfico de motores eléctricos fluye silencioso y ordenado. Frente al Zenit, el parque, las calles, el asfalto, la ciudad. Todo claramente iluminado. Nuevo, sin mugre. La noche aún es joven y mansa.

Un taxi se detiene y te acercas.

—Hola, buenas noches. ¿Viene de parte de Rita?

—No sé quién es Rita, vengo a recoger a un chico para llevarlo al Museo Provincial Maruja Mallo.

—Sí, soy yo —abres la puerta y subes a bordo, te acoplas en el mullido asiento trasero y os ponéis en marcha.

A través de la ventana contemplas los carteles publicitarios colocados sobre los edificios principales. Logotipos, iconos, articuladas figuras luminosas, soles, fuentes, animales dibujados y delfines brillan en lo alto de la noche. Pasando como sueños embalados, empaquetaditos con todas las piezas listas para montar, mientras la ciudad va pasando. La taxista te mira de arriba abajo sin decir nada. Sin decir nada, solo sueñas. Un reguero de estrellas bajo la noche nublada. Solo el motor eléctrico susurra revoluciones en el hermético silencio.

Ya alejados de la zona del centro la taxista detiene el coche.

—Hemos llegado —dice.

—¿Es aquí?

—Sí, ahí —afirma señalando la iglesia de estilo románico que hay frente a vosotros.

Bajas del coche y el taxi se va. La fachada del edificio ha sido restaurada recientemente, no hay ningún rastro de los habituales signos de humedad o vegetación en una piedra marrón, clara y lisa. A media altura, sobre el hundido arco de la entrada, cuelga una gran cinta violeta plegada. La puerta entornada deja escapar una música electrónica que encubre un murmullo fariseo. Junto a la entrada, un cartel de lona ilustra un David de Miguel Ángel con los brazos en jarra, mirando al frente, tacones y los labios pintados de carmín; «Paula Trillo, retrospectiva al sexo débil». «Exposición del nuevo arte post-feminista». «Iglesia-museo Maruja Mallo». Tímidamente atraviesas el umbral.

Los fríos neones azules y rojos se apoderan de la nave principal. La bóveda cruzada se ve afectada por una iluminación química, absurda y decadente. La parte del altar está tapada por una improvisada pared de aglomerado que se alza tan solo unos metros. Un viejo, grueso y gastado cortinón verde aterciopelado cae desde una barra fija colocada por encima de la base del arco, cubriendo el resto del presbiterio. Parte de las paredes también han sido cubiertas con tablones; solo desde la entrada, mirando hacia la parte más alta del retablo, se puede ver apenas el rostro abatido de Cristo, la única figura religiosa visible en la mutilada iglesia. Solo esculturas de cerámica blanca esmaltadas.

En el centro de la nave principal el David del cartel preside la estancia con sus cuatro metros de altura, subido sobre un pedestal que hace a la figura alzarse al menos un metro más. Distingues a Rita entre la gente y otras estatuas. En un altillo, Poseidón posa con los pies juntos y una escoba de verdad en lugar del tridente, únicamente cubierto por un top y una minifalda, ceñidos, ambos tejidos a punto con lana; Hércules fuma un pitillo apoyado en una farola; un coqueto y fornido minotauro con el culo en pompa... Todos llevan los labios pintados de carmín y tacones. Incluso hay una pareja de centauros charlando entre ellos mientras pasean sus carritos de bebé.

No solo las esculturas consiguen alterarte. Las mujeres que hay allí te inquietan aún más, especialmente las más jóvenes, las de tu edad, las que llevan camisa metida por dentro de los pantalones, corbata y chaqueta. Las hay que se han dejado crecer el bigote, otras se lo han arreglado dejando vello solo en los extremos, a lo Cantinflas; otras optan por un pequeño y centrado bigotillo cuadrado. Muchas otras llevan perillas, barbas pintadas con maquillaje. Pasan camareras con bebidas y el suelo está lleno de colillas.

—¡Hola, ya has llegado! —dice Rita cogiéndote por el brazo.

—Hola —dices irresoluto.

—¿Qué tal te ha ido? Siento mucho lo de tu padre…

—No importa, hacía tiempo que no tenía trato con él.

—Ven, te voy a presentar a Paula —dice arrastrándote hacia el David. Bajo este te encuentras con un corro de féminas que rodea a otra con boina, gabardina y unas largas patillas dibujadas. Todas la miran sin querer perderse ni una palabra de la historia que está contando. Rita se detiene para unirse a la audiencia sin soltarte el brazo.

—… él dijo que por supuesto, que claro que lo haría, «eso y mucho más», decía. Supongo que pensaría que estábamos de coña. Pero cuando llegamos al hotel y vio que íbamos en serio se puso pálido, menuda cara. Al principio, vio que empezábamos a sacar juguetes y se puso muy nervioso. Pero cuando Lore sacó el arnés, entonces ya fue cuando empezó a sudar. ¡Sudaba como si se fuese a derretir! Salió corriendo al baño y se puso a echar la pota —dice sacando un cigarrillo.

—¿Y qué hiciste? —pregunta alguien.

—Llamé al centro y les dije que me trajeran uno nuevo, que el que mandaron estaba indispuesto —dice Paula ya con el cigarrillo en la boca.

Entre compases remezclados y melodías artificiales todas le ríen la hazaña, breves, fuertes y al unísono. Inmediatamente Rita te presenta.

—Mira Paula, este es el chico del que te hablé —dice soltándote y haciéndote dar un paso adelante.

Ella se acerca y el corro parece que empieza a diluirse. Bajo la visera de la boina una nariz recta y perspicaz se planta entre una boca de prominente dentadura y unos ojos saltones acentuados por unas profundas cejas.

—Encantado de conocerte —dice estrechándote la mano, aún con el cigarro en la boca—. Rita me ha hablado mucho de ti. Cuenta que eres único en muchos sentidos.

—Sí, bueno —dices, arrepentido de haber venido, deseando que alguien venga a rescatarte.

—Lo es —añade Rita acariciándote la nuca cariñosamente.

—Dime, ¿qué te parece la exposición? —pregunta Paula encendiendo ahora el pitillo.

—Bien, me parece bien. Muy original —dices complaciente y delicado. No quieres romper ningún plato antes de empezar—. Pero no entiendo por qué todos llevan zapatos de tacón y los labios pintados.

Paula se ríe estrepitosamente, Rita también. Pasa una camarera con copas de vino, Rita coge una y tú otra.

—Es el nuevo arte post-feminista —dice Paula.

—Ajá —contestas sin más.

—Solo le he querido apretar un poco las tuercas a la historia —dice sonriendo—. Verás. Las mujeres hemos sido esclavas de los hombres, desde siempre: en el hogar, cuidando niños, en la cama... y nuestra opinión siempre ha contado menos que la de los hombres. Ya los griegos —dice señalando con el pulgar despreocupadamente al Rey de los Judíos de cuatro metros que está tras ella— solo consideraban como amor verdadero el amor entre hombres... Ya me dirás... ¡En la antigua Grecia! ¡Cuna de la sociedad occidental! ¿Qué se puede esperar de una civilización con unos inicios tan misóginos? Desde el principio de los tiempos, durante toda la humanidad se ha construido una cultura creada por y para hombres. La guerra, la política, los juegos, las artes. Todo hecho para hombres. Incluso en la prehistoria, el hombre de Cromagnon, el hombre de Neanderthal. La Historia del Hombre. ¿Y por qué no la Historia de la Mujer? Porque, por supuesto, ya el hombre de Cromagnon y el de Neanderthal marginaban a las mujeres. Las dejaban metidas en cuevas, ocupándose de cocinar la caza, de mantener la casa limpia, de cuidar de los niños... Hombre de Cromagnon, hombre de Cromagnon... Y eso lo dijeron los científicos... Hombre de Cromagnon... Como si no hubiese mujeres de Cromagnon. ¿Te das cuenta?

—Ya.

—No solo se las marginó entonces —dice cada vez más inspirada—, sino que aún las siguieron marginando en otra era, cuando miles de años después encontraron sus restos y el hombre las volvió a marginar. Entonces también decidieron anular su género, su identidad. Como si no hubiesen hecho nada por el desarrollo de la especie. Pero esta es ya otra era, amigo mío. Esta es la era de las mujeres, ¿entiendes? Hoy mandamos nosotras, escribimos la Historia nosotras y los hombres nos sirven. Imagínate que siempre haya sido así… —dice mostrándote toda la exposición extendiendo solo el brazo, mostrando también cierto delirio de grandeza—. Ahora tenemos que escribir nosotras la Historia. Es evidente. Reconstruir todo el arte con nuestra nueva perspectiva.

Rita asiente y sonríe.

—Sí, pero eso no es justo —dices tenaz.

—Claro que es justo —contesta impetuosa, cegada de razón—. Los hombres nos habéis sometido durante miles de años, pero ahora ha llegado nuestro tiempo, ahora sois prescindibles. No os necesitamos. La ciencia ha avanzado, la naturaleza es sabia.

—Sí, pero yo nunca he sometido a nadie. ¿Por qué alguien me tiene que someter a mí?

—Si hubieses podido someter a alguien lo habrías hecho. Todos los hombres sois iguales.

—¿Sí? ¿Somos todos iguales? ¿Como piezas de ganado? ¿Esclavos sexuales, mano de obra barata? —dices dolido mientras ella sonríe y fuma bajo la boina.

—¿Mano de obra? Si estáis todo el día ganduleando en vuestros centros, solo salís a follar, ¿es eso a lo que llamas trabajo?

—Vete a la mierda, no tienes ni puta idea de lo que es ser un hombre.

—No sabes lo que me gustaría ponerme en tu lugar —dice con una sonrisa burlona.

Tú te quedas mirándola, enmudecido por el feroz resentimiento. Te ha dado donde duele y no puedes hacer nada.

—Venga, te voy a presentar a más gente —dice Rita cogiéndote de nuevo por el brazo.

Te separan de Paula, sin embargo ella sigue allí de pie. Te apartan, pero los dos os seguís clavando una ininterrumpida mirada magnética entre polos iguales. Su estúpida sonrisa impasible, su perspicaz nariz gélida, aún con el cigarro en la mano. Toda su burla ahoga cualquier desafío.

—No puedes ir hablando así a la gente —te dice Rita.

—¿Por qué no? Es ella quien no puede hablarme así.

—Porque es su fiesta, la ofendes y me haces quedar mal a mí.

—Ella ha empezado.

—No es para ponerse como te has puesto. Ella es así, es artista, y tiene un carácter y una personalidad especial. No te lo tomes a la tremenda.

Ven, te voy a presentar a otra gente que te va a caer más simpática. Mira, estas son Alexandra, Míriam...

Rita te presenta a varias mujeres, ninguna parece pasar de los cuarenta. Las más maduras son las que son más simpáticas contigo; las más jóvenes, las que llevan la barba pintada, ni te dirigen la palabra. Entre copa y copa te vas adentrando en un ambiente lujoso y sucio, dejándote acolchar por la música sintética, reciclada, estéril. Hay una asiática, no es como Candi; esta está gorda y tiene la boca pequeña, los labios gruesos, la cara hinchada como un pez globo. «No sé de qué os quejáis, lo tenéis todo hecho». El champán se ha estropeado, sabe raro. «Solo queremos vivir, ser libres». La gente baila, hay flashes, espasmos. «Creo que en el fondo los hombres son mujeres. Mujeres a las que en el vientre materno les han encomendado la misión de ser hombres. Ya sabes, mujeres... que han tenido que renunciar a su espíritu libre por cargar con la testosterona. En fin, el pene no es nada aerodinámico... No puede ser natural, es un apéndice, solo eso». Cuatro niñas te miran y ríen. Neptuno, la reina de los mares. «Rita, tengo que hablar contigo». «Tú siempre con tus discursos, déjate llevar, diviértete». «Las mujeres somos imprescindibles, la naturaleza nos ha dado a nosotras la capacidad de parir, eso es irreemplazable». Misas, misas, misas... El pez globo azul ha hablado, dice que eres muy divertido y te coge del brazo, te sientes destemplar. Risas, risas, risas. «Estamos a esto de poder fabricar esperma, no os necesitamos». Tiemblas. Tres chicas con la cara pintada se ríen delante de ti. En el encerado la maestra hace chirriar la tiza, todas te miran desde sus pupitres, la maestra te observa con maldad haciéndola chirriar. Rita se acerca. «Oye, tengo que hablar contigo». No te oye, no te ve. «Los hombres os estáis extinguiendo», dice la voz maligna de la *pinlabiosta.* «¡Tengo que hablar contigo!». «Os morís, mañana no habrá hombres», repiten los *pinlabiostas* entre las estatuas. Sales corriendo y ellas quedan inmóviles siguiéndote solo con la mirada. Alguien llega, te coge de la mano, el champán tiene cada vez más espuma. Tres niñas juegan justo delante de ti, se *manpintachan* sus mandilones de noche. Ahí vuelve el pez globo azul. «Es muy interesante lo que dices». Alguien ha roto todos los *lasexópices,* los ha partido por la mitad. «Así son el doble, solo hay que sacarles punta, la naturaleza es sabia». Notablemente suena el *silentimbrecio,* alguien te lleva de la mano, cambio de aula, el recreo. Os unís al embudo de alumnas, fuera os dispersáis, tus compañeras te llevan, la clase de hoy ha sido terrible, pero ahora podéis volver a ser vosotros mismos, curiosos, despreocupados y libres.

El *padesierto* es invadido por *niculebrañas* dedicadas a rellenar el *nirrecreodo* con sus *juevenénogos.* De tres en tres, de cinco en cinco o de diez en diez. Grupos de *bialumnchas, sejuegxos* de *compesteba, balincesto* y *voacosolley.* No sabes qué papel tienes tú en todo esto, algunas te marrechaztan solo por ser un niño. No tienes muchas opciones a la hora de escoger compañía, pero ya que estás ahí algo tendrás que hacer.

Las maestras os supervisan con su serenidad, con su expresión serena, erguidas y estiradas, rostros limpios, barbillas arrugadas, regias *meletalenas,* supervisoras de la naturaleza. El orden de las letras está ahí, los mapas, los números, los nombres, las reglas, la ética. Serenas. Mármol de carne en una habitación sin pupitres, sin peces globo, sin azul, sin nada que aprender. Desnudas, llenas de carne con sus felpudos, paredes de vieja lana, besos de polilla. «Vuestra raza se extingue», sientes como un aleteo. Los culos bajos se tragan las piernas, los pechos cochambrosos, caras pálidas, sudorosas, bocas feas, meadas. Serenidad de maestra, «ven conmigo». Los dientes torcidos rasgan la boca serena, la cara inerte y colgante se resiste a desaparecer. Unas agarran truños de látex y escarban en otras vulvas. Desnudas, gruesas de carne en sentido desfigurado, unas encima de otras, devorándose las vísceras, polvos cenicientos, húmedos y escocidos por orín. «Ven aquí, cariño», tu cuerpo se ha mezclado con la ebria carnaza, nada importa ya. Dejemos que el último unicornio se asfixie entre anguilas. La escultora desnuda, de pie sobre todo lo demás. Pelos de melena desquebrajada, oscuros, destartalados, pegados a su frente, de su mano cuelga un artilugio extraño. Levanta una pierna y se lo abrocha a la cintura. Es un arnés púbico, una braga con prótesis. Se acerca a ti, coloca sus frías manos sobre tus nalgas. «Es la era de las mujeres, ahora ocupamos vuestro lugar». La penetración te destroza: «Acostúmbrate al nuevo orden, concubina...», y estruja hasta que el unicornio muere en tu pecho. Una raja cruje tu cristal, a punto de romperse en pedazos.

11

Despiertas con la mente en blanco y las sábanas limpias. Durante los primeros segundos el tiempo pasa a tercer plano. A través de las persianas se filtran quietos rayos de sol nunca vistos antes. Tardas en reconocer tu propio cuarto.

Al ver el traje despojado en el suelo, arrojado, la vergüenza desborda tu cerebro, desparramándose inexorablemente por las orejas. Incontenible. De repente, sin poder remediarlo, sabes exactamente qué día es y, a pesar de que ahora todos los recuerdos son lejanos, eres incapaz de darles la espalda. Terribles interferencias atormentan tu espíritu más y más hasta llegar al llanto, que surge igualmente entrecortado y desmedido.

Lloras el día entero de ayer. Al igual que lo fue para tu padre, la muerte es la única salida. La única para todos los hombres en realidad. La diferencia está en el camino que cada cual toma. Tu padre tomó el suyo, pero todos los que estáis en el centro recorréis el que se os ha marcado, qué más da. Lo peor es que no quedará nada de vosotros. Morirás solo, con muchas amantes a tus espaldas pero sin un amigo, tu entierro será como el de ayer, sin nadie que te conozca realmente, sin camaradería.

Odias a aquellas terribles mujeres, a todas, el maldito centro, a Rita, las cenas en el estúpido Zenit, a todas las conductoras de limusina y trabajadoras del centro, incluso odias a tus compañeros. Odias la comida, especialmente tu favorita; los programas de televisión, las películas, el pabellón de extracción, tu habitación e incluso las sábanas limpias que te arropan. Cada respiro es una deuda, cada acción un deber. Imposible rectificar, la vida es un resbaladizo tobogán que desemboca en el hoyo; todo lo que has hecho o lo que puedas hacer es patéticamente inútil, y te has dado cuenta hoy.

Te odias a ti mismo. Solo quieres odiar y lloras con los ojos cerrados.

Quieres seguir odiando, sin embargo te cansas de llorar. Abres los ojos y de nuevo contemplas el efecto de los seculares haces de luz que se cuelan entre la persiana. Te quedas allí en silencio, acurrucado, hasta que terminas por levantarte.

Esbelto y desnudo. Triste mal cuerpo en paz. Caminas hacia el lavabo y te lavas la cara, te miras al espejo pero no ves nada.

Oyes un grito fuera, te molesta escucharlo porque tú llevas un buen rato gritando en silencio y no quieres oír nada. Te pegas una ducha.

Un potente chorro caliente a presión, nada más. Te pasas allí un buen rato y por un momento te olvidas de todo.

Otro grito afuera; y otro más, seguido de un alboroto. Se oyen golpes. Un «¡puto maricón!» es el que hace que cierres definitivamente el grifo. Sales de la ducha, te secas rápido, te pones el chándal, las zapatillas de deporte y sales.

El eco del griterío se propaga escalofriante por el pasillo, el jaleo suena entre baldosas pulidas. El corredor es tomado por una luz extraña, vislumbras el sol en un cielo emborronado. Te detienes un instante, dudas, no sabes qué puede estar pasando ahí abajo. Acabas por bajar las escaleras sin pensar en nada, solo movido por una intrépida curiosidad fruto de la desoladora confrontación ante una realidad nueva.

El alboroto viene del comedor. Golpes y el chirrido de las sillas sin goma. Se oye a alguien gritar. Es Buenas Tetas.

—Parad, ¿qué hacéis? ¡Parad!

El ruido no cesa, te aproximas, te asomas a la puerta. El comedor está a rebosar, totalmente destartalado, las mesas movidas, las sillas volcadas, bandejas y cubiertos por los suelos, aún con restos de comida. Todo el mundo está inquieto, mirando hacia la misma dirección, hay clones que sostienen algún objeto contundente en la mano. Buenas Tetas grita sobre una mesa y agita los brazos intentando detenerlos, pero los pocos que reparan en él solo lo hacen para insultarle. Están linchando a alguien, te temes lo peor, te acercas al tumulto. Buenas Tetas sigue gritando. Te subes a una mesa y ves a Zacarías levantándose del suelo, desorientado, alguien le golpea con una bandeja en la espalda vuelve a caer. Está sangrando. Alguien sale de la nada. Un hombre visiblemente más grande que el resto le pega un puñetazo al de la bandeja y a otro más. Es Bruno.

—¡Parad! ¡Se acabó! —grita desafiante y solemne, como un gladiador rebelde en el Coliseo.

Bruno mantiene a raya al apaciguado y aún inercial tumulto. Todavía le toca aguantar algún que otro golpe, pero consigue interponerse entre ellos y Zacarías, que sangra arrodillado en el suelo, incapaz de levantarse. Sales corriendo hacia ellos.

—¿Qué pasa, Bruno? —dice una voz que enmudece al resto—. ¿Defendiendo a tu novia? —Una voz melodiosa y maldita. Inconfundible.

Juan se encara con Bruno. Todo el mundo se paraliza, en tensión.

—No es mi novia.

—¿Ah, no? ¿Y qué haces defendiéndole? ¿Qué pasa? ¿A ti tampoco te han dado suficiente por culo los italianos en el partido que has tenido que ir detrás de ellos a que te diesen un poco más?

—Es un compañero, no tenéis ningún derecho.

—¡Tenemos todo el derecho del mundo! —estalla firme e iracundo, la saliva se estrella contra el jersey de Bruno, como un sobreactuado villano de Hollywood—. Esa rata maricona se ha ido a que los italianos se lo follen. Es vergonzoso vivir con cretinos de esa calaña, nunca le ha importado una mierda el puto partido. Él solo quiere arrimarse a un puto italiano y que le llene el culo de lefa. ¡Y por ahí sí que no paso! Les damos de comer, un lugar donde dormir, ponemos el trofeo y el campo. Pero ni de coña vamos a poner también el culo.

—Déjalo, Juan. Aquí cada uno hace lo que le da la gana, cada uno hace con su cuerpo lo que quiere —afirma, ridículo.

—Ahí te equivocas, grandullón —dice permitiéndose un sarcástico respiro—. Aquí uno no puede hacer lo que le dé la gana. Y cuando un sucio italiano de mierda le da por culo a uno de nosotros, está dando por culo a TODOS nosotros —continúa entonando como si fuese un personaje de una película doblada—. No sé si lo has notado, pero somos clones. No es como ser hermanos, ¿tienes hermanos, Bruno? No, claro que no. Si tuvieses aunque fuera una hermana, tendrías una mínima idea de lo que te estoy hablando. Los hermanos se preocupan unos de otros, ya sabes, son hijos de la misma madre, del mismo padre, tienen los mismos apellidos, crecen juntos... Nosotros no tenemos madre, no. Ni padre, ni siquiera tenemos el mismo apellido —dice con una sonrisa irónica—. Pero sí los mismos genes, exactamente los mismos. Y desde luego crecemos juntos, bajo este mismo techo, grandullón. Es aquí donde crecemos, generación tras generación.

Bruno traga saliva.

—Así que comprenderás que si a nadie le gusta que a su hermano le dé por culo un sucio italiano de mierda, mucho menos a un clon suyo. Porque si le dan por culo a tu clon te están dando a ti. Cuando uno de esos italianos asquerosos me mira a la cara, a la mía o la de cualquiera de nosotros, está pensando en la vez que nos dio por culo. Y ni yo ni ninguno de nosotros vamos a permitir que nuestra estirpe se corrompa. ¡Porque a nosotros nadie nos da por culo! No es que cuidemos de cada uno de nosotros, es que cada uno espera de los demás la virtud de uno mismo. Porque todos somos uno y todo lo que no nos defina como uno está de más.

La multitud vitorea eufórica el discurso de Juan. Bruno parece tener algo más que decir. Mientras, te dejas escurrir entre la muchedumbre hasta llegar a Zacarías. Te arrodillas junto a él, abrazando su cuerpo de heridas calientes. Echas una mirada alrededor, solo la mole de Bruno se interpone entre la masa clones de idénticos a los que durante el partido estuvieron de tu parte. Pero esta vez sus caras han adquirido gestos frenéticos y malignos, imbuidos por una primitiva sed. Un paso por delante del resto está plantado Juan, estoico como un sádico busto de bronce, clavándote los ojos.

—Mira quién ha vuelto —dice—. ¿Qué tal el entierro de papá? ¿Llorasteis mucho mamá y tú? Seguro que conociste gente muy interesante ahí fuera y le hablaste de lo mal que lo pasamos, ¿verdad? Echaste un buen polvo y has vuelto. Pues con menuda te has encontrado, ¿eh? Esto seguro que no te lo esperabas, tanto hablar y la revuelta empieza cuando te vas. ¿Qué te parece? ¿Sabes por qué? Porque tú no eres de los nuestros.

Buenas Tetas también se interpone entre Zacarías y el resto de clones con cara muy seria.

—Juan, ya es suficiente, deja que se vayan, el chico está muy mal.

—Eso no me preocupa, viejo.

—Van a venir las guardias, si no paras esta revuelta tuya aquí va a haber una batalla campal.

—Tú sigue dando consejos, mira qué bien nos fue en el campo gracias a tus consejos —recalca Juan—. Pudimos haber ganado, pero tuvo que venir el carcamal de los huevos a decirnos cómo teníamos que jugar.

—Esto no tiene nada que ver con el fútbol.

—Estamos hasta la polla de tus consejos, deja de dar la vara. Jubílate de una puta vez, a nadie le importa tu mierda de consejos, déjanos en paz —dice coreado por insultos y abucheos dirigidos a Buenas Tetas—. Aquí nadie te respeta, solo vales para reírnos de ti. Eres un viejo patético.

—Es mejor que pares esto, Juan... —suplica Buenas Tetas, una vez más humillado, rotundamente impotente.

—Apartaos —exige Juan.

—No.

—Aparta, hoy vamos a matar a este maricón.

— Si queréis matarle, tendréis que matarme a mí primero —dice Bruno.

—Como quieras...

Juan salta con el puño en alto sobre Bruno, éste le agarra y le pega un puñetazo que le deja en el suelo. Inmediatamente el resto de clones empiezan a caer sobre él, que a duras penas aún se mantiene en pie, un coloso sobrepasado que todavía resiste. Buenas Tetas intenta interponerse y también recibe. Tú te quedas atemorizado y expectante, protegiendo a Zacarías, que está demasiado molido como para reaccionar.

Bruno lucha contra la muchedumbre, aguanta por no sucumbir. Está a punto de ser vencido cuando se oyen las puertas del comedor abrirse en un estruendo. Un pelotón de antidisturbios armado con porras corre hacia vosotros. El tumulto se dispersa, unos enfrentándose con las antidisturbios y otros simplemente intentan escabullirse. Sigues quieto, sosteniendo a Zacarías entre tus brazos. Bruno todavía está enzarzado con Juan y otros dos clones, una guardia empieza a aporrearles.

Hacia vosotros se dirige otra guardia; a pesar del casco y las protecciones, distingues perfectamente su gruesa figura y su manera de andar. Bajo el casco sus mofletes se apechugan sobre la boca de piñón que asoma sus pequeños dientes rabiosos. Flora te propina un golpe en la espalda y otro más. Te quedas tirado de bruces pudiendo contemplar solo cómo ahora se ensaña con Zacarías que no puede más que encogerse.

Salta Bruno sobre Flora, haciéndole soltar la porra, los dos se enmarañan a golpes en el suelo. Aprovechas para llevarte a Zacarías a rastras de ahí. Buenas Tetas aparece con la cara ensangrentada para ayudarte. Los tres conseguís salir del comedor.

En los pasillos reina el caos. Algunos clones salen huyendo y otros se enfrentan con las antidisturbios. Los tres os cobijáis en el pabellón de recogida. Tumbáis a Zacarías sobre una camilla que se usa en las inspecciones. Buenas Tetas rebusca entre los botiquines algún remedio milagroso mientras tú te quedas con él.

—Amigo... —te dice sin apenas mover la boca, con los ojos cerrados—, ¿tienes un pitillo?

—No, hoy no tengo —respondes con la voz temblorosa, agarrándole la mano.

—¿Las de ayer no fumaban, eh? —pregunta con un moribundo hilo de voz.

—No, las de ayer no.

—No importa... —dice tosiendo una sonrisa.

Intentas contenerte, pero lloras desenfrenadamente.

—Escucha, amigo...

—¿Qué...? —gimes.

—Eres mi amigo...

—Sí, claro que sí.

—Mi amigo..., el único que he tenido...

Dicho esto Zacarías se queda callado, solo expulsando aire, con los ojos cerrados. Tú lloras mientras Buenas Tetas revuelve alacenas. Súbitamente, el muerto vuelve a tomar aire.

—Tienes que prometerme una cosa, amigo.

—Lo que quieras —pronuncias entrecortado, desesperado.

—Que no vas a morir aquí, que te enterrarán tus hijos.

Las palabras de Zacarías te conducen a una emoción más angustiosa aún, te invade una sensación de pérdida absoluta.

—Te lo prometo.

Zacarías expira sin más palabras y tú sigues llorando sin separarte de él. Buenas Tetas abandona su actividad de abrir y cerrar alacenas con solo un par de gasas en la mano. Derramas tus lágrimas sobre el suelo de goma del pabellón de recogida. Buenas Tetas te consuela, el eco de tu llanto ensordece los disturbios.

Los tres os quedáis allí mientras afuera se calma la situación. Nadie se mueve. Desde donde estáis se ve una foto del doctor Dunivant apoyándose sobre los hombros de su hijo. Está colgada en una pared, sabías que estaba allí, pero nunca le prestaste demasiada atención. Los dos están sonrientes mirándote. Un hombre anciano y uno joven, el original y el clon, padre e hijo. Así es como debería ser, tal y como nunca ha sido. Tras varios minutos de estática incomunicación, Buenas Tetas se pone a tu lado.

—No lo conocía demasiado, pero sé que te tenía muchísimo aprecio.

—Gracias.

—Te lo digo de verdad. Ya sé que todo el mundo piensa que soy un viejo que no se entera de nada, pero no soy tonto —dice muy serio—. Los viernes y los sábados que sales por ahí, él se queda... —hace una pausa y rectifica—, se quedaba encerrado en la habitación. A veces salía a ver la televisión o a lo que fuese, otras veces lo veía por los pasillos, iba por ahí como si fuese invisible, nadie reparaba en él. Solo aparecía por una puerta y desaparecía por otra, siempre con la cabeza gacha.

—Sí, tenía días.

—Sí, pero cuando volvías los domingos se le cambiaba la cara. Eras su único amigo.

—Ya lo sé.

Los dos os quedáis en silencio, después te mira y te dice:

—¿Cuántos amigos tienes tú?

No dices nada, los dos sabéis la respuesta.

—Estos días que estuviste fuera fue distinto. Zacarías estaba alegre, pasaba mucho tiempo con los italianos —dice el veterano—. Pasaba el día con ellos, al resto no le gustaba un pelo, subía a sus habitaciones. Yo mismo lo vi paseándose por los pasillos cogido de la mano con uno de ellos. Lo mataron por eso, ¿sabes? Por ser feliz. Desde el momento en el que su corazón se sintió libre, estuvo condenado.

Te quedas escuchándolo, dolido.

—Tienes que cumplir tu promesa, tienes que salir de aquí. Aquí no pintas nada, ya lo has visto.

—¿Y tú qué? —dices.

—Yo ya no pinto nada en ninguna parte. Aquí por lo menos puedo intentar hacer algo. Pero tú sí te tienes que marchar, tienes que ser libre, por ti y por todos.

Una agente de policía entra en el pabellón, se queda de pie mirándoos y os pregunta si está vivo o muerto. Tú niegas con la cabeza. Después informa por radio de que «aquí hay uno muerto». Llegan más guardias y policías. Os dicen que os vayáis. Llegan las sanitarias y cubren el cuerpo de Zacarías. Os vais.

Fuera del centro hay varias ambulancias, furgones de la policía, cámaras de televisión y algunos clones. Las periodistas quieren hablar con vosotros, preguntaros un par de cosas, pero no tenéis nada que decir.

Una mujer se pone a curarle las heridas a Buenas Tetas y los cortes que tiene en la cara. Tú te sientas a su lado, a ti también te hacen un breve reconocimiento.

Dos sanitarias salen del centro con una camilla con el cuerpo de Zacarías, las cámaras se centran en él y las reporteras lo señalan con el dedo diciendo «graba». Lo meten en una ambulancia y cierran las puertas. Después cada una vuelve a lo suyo con cierta excitación.

Pronto acaban de atenderos y os dejan a vuestro libre albedrío por el recinto.

—Métete en la ambulancia —te dice Buenas Tetas.

—¿Qué?

—Que cuando puedas te metas en la ambulancia de Zacarías —dice levantándose y sin mirarte.

Avanza unos pasos con diligencia, se dirige hacia un grupo de guardias exclamando:

—¡Fascistas! ¡Somos prisioneros del orden feminista! Vosotras lo habéis matado.

Flora está en el grupo y se acerca para intentar controlarle, a pesar de que su rostro refleja una expresión de inseguridad que no has visto nunca en ella. Puede que esté incómoda por la policía, la televisión o quién sabe si por ver al hombre más manso del centro gritar como un poseído.

—Tranquilo, tranquilo... —dice Flora en un tono demasiado formal, poco creíble, con escasa autoridad.

Buenas Tetas le lanza un puñetazo que la tumba, ya en el suelo le pega una torpe patada. Las demás guardias y agentes acuden a separarlos, las cámaras les enfocan, los clones no dan crédito. Por un segundo dudas, pero abres la puerta de la ambulancia y te subes.

Está oscuro, solo entra luz por la ventanilla que comunica con la cabina de la ambulancia. Zacarías está envuelto por una sábana limpia y tirante, bien amarrado. Parece un paquete embalado, nunca dirías que ahí hay un cadáver. Te colocas justo detrás de él, pegado a la pared del fondo, agachado bajo la ventanilla.

Estas ahí, de nuevo con tu amigo. No tienes nada que perder, pero es un mal trago. El tiempo pasa tan lento que prefieres cerrar los ojos. Pronto descubres que en la oscuridad la eternidad pasa igual de lenta.

Finalmente dos mujeres acaban por entrar en la cabina. Sin mediar palabra arrancan el motor y se ponen en marcha. Tras avanzar unos metros, el vehículo se para y luego vuelve a ponerse en marcha. Eso es que habéis pasado el control que hay al atravesar la entrada, habéis salido fuera del muro que rodea el centro, sientes como si fuese un logro. Piensas en Zacarías; las únicas veces que cruzó las puertas del centro fue contigo, para irse de vacaciones a Madrid. Esta es la última vez que las cruzaréis juntos y no esperas que ninguno vuelva.

El viaje transcurre en relativo silencio, solo algún comentario de impresión banal sobre el altercado, ninguna de las dos tiene una idea concreta sobre lo que ha pasado. A decir verdad, tú tampoco lo tienes muy claro.

Pasan unos cuantos minutos y recorréis un puñado de kilómetros, no podrías concretar. No sabes dónde estáis ni hacia dónde vais. Seguramente hacia la ciudad, a un hospital, pero eso no es mucho. De la ciudad solo conoces las calles principales.

Te metes la mano en el bolsillo pensando en qué hacer cuando te encuentras un cigarro, te agarras fuerte a la camilla de Zacarías y no sabes si echarte a reír o llorar. No importa. De todas formas no te puedes permitir ninguna de las dos cosas.

Estás pensando en abrir la puerta de la ambulancia y saltar, pero no sabes cuál será el momento más adecuado. Piensas que tal vez cuando el coche se pare o esté girando.

La ambulancia se detiene, sin embargo no crees que sea el momento más apropiado. Cuando os volvéis a poner en marcha, avanzas de cuclillas hacia la puerta, estiras el brazo hasta la manilla, la agarras, pero no te atreves a más. Pasan un par de curvas pero no haces nada, el camino es casi todo recto, no hay inercia, tienes miedo de que si saltas te vean desde la cabina o de que te atropelle un coche.

Una curva te inclina, estás a punto de caer pero, instintivamente, abres la puerta y saltas hacia afuera. Ruedas, te machacas las rodillas y sigues rodando sin control sobre el asfalto, no puedes hacer nada por evitarlo hasta que paras. Estás en medio de la carretera, ya casi es de noche, llovizna y la ambulancia sigue su ruta. Estás en alguna parte de camino a la ciudad, lo has visto antes. A un lado, casas con huertas y al otro, monte. Enseguida te adentras unos metros entre los árboles y la maleza. Caminas hacia la ciudad con tu chándal sucio y roto, haciendo mucho ruido y sin alejarte demasiado de la carretera.

Te vuelves a meter la mano en el bolsillo, el cigarro se te ha roto del todo. Ya nunca volverás a ver a Zacarías.

12

Tus pasos en el bosque son agotadores. Tu referencia es la carretera, tienes que ir hacia donde ésta vaya, pero a la vez debes distanciarte, no quieres que nadie te vea. Siempre que el asfalto reaparece en tu corto horizonte te desplazas unos metros en dirección opuesta hasta que lo pierdes de vista. No avanzas muy rápido.

La fatiga aumenta a cada movimiento, al desplazarte todo el bosque se frota contra ti: ramas secas, cortezas, hojarasca, piedras... Todo el entorno está formado por elementos húmedos recios e hirientes. Tus ropas están sucias, tus pies mojados y tienes frío.

La noche ha caído y la opacidad lo inunda todo. Te cuesta diferenciar las figuras del bosque y ya no puedes caminar con decisión por miedo a chocar con algún árbol, tropezar con alguna raíz o meter el pie en algún desnivel. Miras al suelo y no ves nada. No sabes si el ruido que hacen las hojas al pisarlas lo haces tú o algún animal que pueda acechar. Algo te roza el pie. No estás seguro, puede que no haya sido nada. Te quedas quieto. Además del frío, necesitas deshacerte de la sugestión.

Silencio. El graznido de algún pájaro y nada más, en la tierra nada parece moverse. Miras al cielo y no hay estrellas, solo las quebradizas ramas arañando la blanca, brillante y redonda luna que se mantiene quieta en lo alto brillando para sus adentros, como una hostia en el medio de la noche. Lo blanco sobre lo negro; sin luces ni sombras.

Sin saber qué hacer decides volver a la carretera. La noche hace el bosque más agreste, seguir caminando es inútil aquí. Al pisar de nuevo sobre la firme grava recuperas cierta seguridad y autoestima. Al otro lado hay un prado y a lo lejos distingues una casa bajo la luz de un farol de carretera. Aquella parece ser una vía secundaria menos transitada que en la que te encuentras. Cruzas la calzada y te diriges hacia la casa, topas con la alambrada pero la saltas sin mayor problema y atraviesas el prado a paso ligero. La hierba está mojada, sin embargo el terreno es firme. Entre zancada y zancada los pies no llegan a apoyar el talón. A saltitos, como una gacela al raso, sigiloso, sin llegar a correr.

Puedes ver luz a través de una ventana con las persianas bajadas, sigues adelante y tropiezas de nuevo con un cerco en el prado. Te clavas la púa de un alambre y se te escapa un quejido. El cable de acero queda batiéndose en silencio entre los postes que lo sostienen y se agita aún más cuando logras desengancharlo de la ropa. Te vuelves un manojo de nervios: tus hombros y rodillas tiemblan víctimas del pánico, tus manos intentan detener el zarandeo del alambre de espinos con sus dedos desesperados. Puede que salte una alarma, una campana. No sabes nada. Te quedas quieto, agarrando el cable. Te parece oír algo. Aguardas inmóvil pero no pasa nada. Saltas la valla y continúas avanzando hacia la casa, tienes mucho frío.

Oyes el mugido de un animal, a unos metros de la casa hay otro edificio sin luces ni ventanas visibles. Se te ocurre meterte en la cuadra a descansar y entrar en calor, pero nunca has estado tan cerca de animales tan grandes, contemplas la posibilidad de que ese bramido haya sido el de un toro semental. Has oído hablar de ellos, dicen que son enormes, consideras que ya has pasado demasiado tiempo encerrado con sementales como para seguir planteándote la idea.

Hay un porche en la parte trasera de la casa, bajo él se cobijan una ventana con las persianas bajadas y una puerta. También un tendedero plegable con ropa a secar y una mesa con unas sillas. Te acercas de cuclillas, desde fuera oyes la televisión. Afinas el oído, pero no son las noticias, están viendo una serie.

Colgada en una de las sillas hay una gabardina enorme, del tamaño de una sábana. Sin pensártelo te la pones. Te queda muy holgada, casi te llega hasta los pies. Después empiezas a echar un vistazo a la ropa del tendal. Hay algunas prendas de niña, pero otras son demasiado grandes como para ser de mujer.

A pesar de que la ropa todavía está húmeda, coges un par de calcetines y un jersey. Por primera vez desde que escapaste del centro te sientes un fugitivo. Puede que el que aún no hayas tenido demasiados problemas se deba a que aún no se hayan dado cuenta de tu ausencia, o tal vez no. El hecho de que en esta casa estén viendo una serie de televisión a todo volumen te tranquiliza. Si se hubiesen enterado, teniendo el centro tan cerca, estarían más atentos a las noticias que a la serie del domingo y, desde luego, no tendrían el televisor tan alto.

Piensas en el centro, no tienes muy claro cómo estará la situación ahora allí, pero a estas horas ya te deberían de haber echado en falta.

El jersey aún está mojado y pesa. Al sacarlo del tendero éste se desequilibra y cae hacia un lado haciendo ruido contra el suelo. Tú agarras instintivamente el tendedero como antes hiciste con la alambrada y te quedas quieto. Lentamente lo devuelves a su posición original. Alguien abre la puerta, aún estás irguiendo el tendal. Distingues la figura de una mujer menuda que al verte sufre una inyección de cólera y estalla pegando un grito: «¡Un hombre fugado!», grita una y otra vez torciendo la cabeza hacia el interior de la casa. Un perro empieza a ladrar fuera. Sueltas la ropa mojada y sales corriendo con el jersey. Sale más gente de la casa, echas la vista atrás, el perro no para de ladrar. De nuevo la mujer menuda, esta vez junto a otra mucho más grande, más alta que tú, un corpulento montón en el umbral aguanta un hacha en la mano. Te ve.

Tropiezas de nuevo con la alambrada, esta vez te quedas enganchado. Vuelves a mirar atrás y ves a la mujer grande acercándose como un oso, temeraria con su hacha, cada vez más cerca.

Desesperadamente consigues pasar el alambre, aunque te cuesta un gran siete en el pantalón. Corres campo a través y miras atrás. La mujer del hacha también se ha quedado enganchada con las espinas de la alambrada. Corres, saltas de nuevo el cerco, esta vez limpiamente y sin complicaciones, atraviesas la carretera y corres al otro lado de la cuneta, cuesta arriba, bordeando el bosque, no ves nada, solo el asfalto y corres.

Al cabo de unos minutos oyes una sirena. Te adentras entre la maleza y te tiras al suelo. Esperas hasta que ves pasar el coche de policía y después te quedas ahí un poco más. Exhausto, ya no tienes tanto frío, pero te gustaría poder quedarte a dormir ahí mismo. Te pones los calcetines y la gabardina.

Te levantas convenciéndote de que tienes que seguir. ¿Seguir hacia dónde? A lo lejos ves las luces de la ciudad. Tiene que estar solo a unos kilómetros. Pasa otro coche de policía, más despacio que el anterior, con la sirena apagada.

Ojalá tuvieses la tarjeta de la amiga de tu padre, ella podría ayudarte. «El problema es que la tarjeta está en la ropa de ayer, junto con el dinero», piensas con las manos metidas en el pantalón, estirando los bolsillos vacíos. Tienes que encontrar a Candi, ella es la única que puede ayudarte. Después ya pensarás qué hacer, pero por el momento necesitas alguien en quien confiar. Candi, ojalá podáis llegar algún día los dos a Irlanda, allí podríais formar una familia, con niños.

La carretera no es un lugar seguro, está claro. No puedes quedarte en el bosque, ahora ya saben que te has escapado, te buscarán con los perros por delante. Es algo que ya has visto otras veces en televisión. Lo mejor, piensas, es ir en línea recta hacia la ciudad, atravesando campos, fincas, polígonos industriales, lo que sea. Tienes que aguantar treinta y seis horas sin que te cojan, pasado ese límite lo tienen mucho más difícil para pillarte, o eso has oído.

Cruzas de nuevo la carretera, saltas el quitamiedos y desciendes accidentadamente por un ligero terraplén. Atraviesas un grupo de casas y distingues lo que debe de ser la carretera que pasa por delante de la casa de la mujer del hacha. Ves un todoterreno de la policía aparcado a un lado de la calzada. Ya no hay vuelta atrás. Corres directo hacia la iluminada ciudad, como si no hubiera camino; trotando primero sobre el asfalto para después escabullirte entre la maleza. Llegas hasta la autopista. Aguardas unos minutos, los coches pasan, demasiados carriles, demasiado tráfico. No puedes esperar más. En la autopista hay cámaras, lo sabes. Cruzas sin más, los coches pitan, tienes que detenerte entre carril y carril, pero llegado a este punto no hay otra opción. Llegas hasta la separación de vías, ahora los coches van hacia el otro sentido, hacia la ciudad. Si solo pudieses subirte a uno, cuánto esfuerzo ahorrarías. Es solo una fantasía, ahora tienes que cruzar, puede que la policía esté ya en camino. De nuevo saltas al asfalto, pasas un carril sin dificultad. Te paras, una furgoneta pasa a menos de un palmo de ti haciendo sonar el claxon, dejando tras de sí una sacudida de aire que respirar. Cruzas, cruzas ciego dos carriles más. Un camión pasa, pero no te detienes. Cruzas.

La policía te sigue, estás seguro. Han visto a un hombre robando ropa colgada en los alrededores del centro y alguien cruza la autopista a pocos kilómetros de allí. Estúpido. Solo puedes seguir corriendo, atraviesas otra pequeña finca. Tomas un camino pequeño y empieza a llover con violencia. Corres cuesta abajo, ves la ciudad, los primeros bloques de edificios. Fatigado. En cuanto la pendiente se vuelve hacia arriba dejas de correr y continúas caminando.

Te están buscando, buscan un hombre, tienes cara de hombre y, a pesar de lo holgado de la gabardina, no tienes cuerpo de mujer. Te enroscas el enorme jersey mojado bajo la ropa y te lo colocas intentando hacer así algo de pecho. Sigues caminando con el pecho frío, con tos.

Los bloques de edificios son más frecuentes, cada vez hay más y están más pegados unos a otros. Por las calles vacías ocasionalmente pasa algún coche, pero nada más. No sabes dónde estás. Te preguntas qué hora es. Necesitas llegar al centro de la ciudad para encontrar a Candi.

Te miras en el reflejo del escaparate de un supermercado, la barba ya se te empieza a notar y te das cuenta de lo evidente que es que eres un hombre. No hay donde esconderse. Tienes que taparte la cabeza como sea, cuando salga alguien a la calle te descubrirán y todo habrá acabado. Tus manos también te delatan, grandes como las de un mono. Las encoges y cierras los puños por dentro de la gabardina. No sabes qué hora es.

Las 2:53, eso es lo que marca en rojo el reloj de una farmacia. Demasiado tarde para cualquier cosa. Hasta mañana por la noche te será imposible encontrar a Candi. Tienes que aprovechar la noche para moverte. Antes de que llegue la mañana y la gente salga a la calle.

Sigues andando, sigue lloviendo, el frío va calándote los huesos. Bordeas un parque, un muro de piedra, la barandilla de algún edificio público; en las fachadas hay terrazas con vistas a ninguna parte, pocas ventanas con luz. Pasa un coche con música, te encoges.

Junto a un contenedor encuentras una bolsa con ropa, estás de suerte, coges una camisa de franela que rasgas e improvisas una venda con la que te envuelves la cabeza. Al momento notas una picadura en la cara y después otra y otra más. Te lo quitas y lo arrojas al suelo, la cara te arde, se hincha, te tocas y notas cómo unas irritantes vejigas se extienden sobre tu rostro.

Estiras la gabardina hacia arriba y metes la cabeza bajo el cuello. En el reflejo de un cristal compruebas que tu figura es ahora deforme y jorobada, mucho mejor.

Los bloques de edificios cada vez son menos frecuentes, no estás yendo hacia el centro. Estás perdido. Ves un cuerpo negro, un espasmo sobre la visión cruzando la calle, es una rata escondiéndose en un agujero de obra en la calzada. Nunca habías visto una rata, es enorme. Pruebas a caminar hacia otra dirección. Un coche de policía, más coches.

Vallas con carteles que advierten «Propiedad privada» cubren más bloques de edificios. Cerrados, como abandonados en un cementerio de viviendas. Desconectados aquí, uno detrás de otro. Los nombres de las calles son de ciudades europeas, pero esta no es la ciudad.

La lluvia te machaca y te quitas el jersey mojado y lo metes como puedes en un bolsillo del abrigo. El frío va más allá de los huesos, toses, sientes tu cuerpo palidecer mientras te arde la cara. Hace más de un día que no comes nada.

Oyes jaleo, movimiento. Ves a una joven cruzar la calle a lo lejos y tres más que doblan la esquina y se dirigen hacia ti corriendo, cubriéndose de la lluvia con sus cazadoras. Al pasar a tu lado se burlan de ti estirando sus chaquetas sobre sus cabezas, imitándote, tirando de los bolsillos hacia abajo. La más menuda se fija en ti clavándote los ojos y acelerando el paso. Lleva el pelo engominado hacia adelante, tiene aspecto de depredador. Cuando parece que va a chocar contra ti bizca los ojos incrustando su aliento y su rabia en tu cara descompuesta, a través del agujero que deja el cuello de la gabardina, por el que apenas puedes ver y por el que no se distingue tu cara.

—Mendiga meona, ¿adónde vas, mendiga meona? ¡Mendiga meona! —grita como una idiota la niñata de la gomina.

Se queda un rato delante de ti, obstruyéndote el paso sin hacer otra cosa que insultarte mientras las otras dos le ríen la gracia. Llega un momento en el que la joven se cansa de insultarte y te mete un empujón. No sabes qué hacer, a pesar de lo débil que te sientes te dan ganas de romperle la nariz de un puñetazo, pero eso supondría dejarte ver. Aguantarás lo que venga.

—¿Qué pasa, mendiga meona? ¿No vas a defenderte? ¿Eh? ¿Estás sorda? —dice dándote otro golpe, esta vez en la cabeza—. ¿Te has meado? ¿Eh? —continúa pegándote cada vez más impulsivamente.

Tu voluntad está doblegada. Si te hubieses defendido desde el principio le habrías dado su merecido, pero ahora ya no puedes ni pronunciar una palabra. Mental y espiritualmente doblegado. Además, si descubren que eres un hombre se acabará para siempre. Aguantas cabizbajo los golpes sin protestar hasta que sus amigas la separan, ya es suficiente. Reemprendes la marcha, pero desde atrás la de la gomina te agarra, te pega un tirón que te hace girar hacia ella y te lanza un salivazo que se cuela por el orificio que hace el cuello de la gabardina y te alcanza en los ojos. Te vuelve a empujar, te tira al suelo y se van. Antes de ponerte en pie te aseguras de que las manos están empuñadas por dentro de las mangas y de tener el cuello bien colocado y cerrado por encima de la cabeza. Al erguirte ves otros grupos de jóvenes mirándote con caras estupefactas, nadie se ofrece a ayudarte.

Continúas caminando. Al doblar la calle te encuentras con una muchedumbre y una puerta abierta que deja escapar la música de la discoteca, custodiada por una mole que te recuerda a Flora. Algunas de las jóvenes que están en la calle, borrachas, te miran con fiereza o te hacen algún gesto obsceno. Agachas la cabeza, ensimismado bajo la gabardina. Continúas caminando.

Dejas atrás a la juventud, aunque sientes que una jauría te sigue, unas voces, unas risas burlonas y malignas. Esta zona no es segura, antes has tenido suerte, otro encuentro como aquel podría tener peores consecuencias. Te escondes tras unos coches, pasan unas chicas por la otra acera, riéndose. Se cruzan con otro grupo y se produce un choque. Ambas pandillas se insultan entre sí, se empujan y se amenazan. Al final cada cual se va por su lado.

No para de llover, te da la sensación de que el frío emana ya de tu interior. Pasan coches, uno de policía, aunque no crees que te estén buscando a ti. No aguantas más. Encuentras una plaza en la que hay un parque infantil y una cancha de baloncesto y, tras un descuidado jardín, un bloque de edificios con soportales. Te resguardas allí durante unos minutos, tosiendo, mojado y quieto. Tiritas débil.

A pocos metros distingues un contenedor. Sacas el jersey mojado del bolsillo y lo extiendes sobre la tapa. Te descalzas y también estiras los calcetines. Te duele el pecho. Tus pies mojados se hielan sobre el sucio suelo pavimentado. Abres el contenedor. Hay unas pocas bolsas de basura, las suficientes como para cubrir el fondo. Te quedas un rato calibrando si podrás resistir el olor. Recoges los calcetines y el jersey y los cuelgas sobre el borde y lanzas las zapatillas adentro. Pasas la pierna por encima, te cuesta dar el salto, el lugar en el que esperas pasar la noche tiene ruedas y a cada intento se desplaza un poco. Finalmente consigues colarte y te dejas caer con torpeza sobre la basura. Es menos mullida de lo que pensabas. Te encoges enrollándote en la gabardina, buscando la forma de doblar tus rodillas y espalda de manera que te permita descansar. Echado, con el escozor quemándote la cara, te quitas los mocos con las manos llenas de heridas. Un fluido más tibio y denso que el agua vierte de alguna bolsa y repta sobre tus marmóreos pies, pálidos, mojados y rígidos. Rígidos cuerpos intrusos entre los almohadones de basura. Rígidas paredes y rígido agotamiento. Te quitas la sudadera del chándal para envolver tus pétreos pies, insensibles, casi ajenos a tus piernas. Te quedas dormido en una postura extraña sin ni siquiera acostumbrarte al hedor.

13

Ha parado de llover y el sol deja ver su cegadora silueta entre el diáfano y aún nublado cielo. Por las fachadas de los edificios todavía corre una precipitada película de agua; las cornisas gotean y sudan lluvia masivamente y las cañerías rotas chorrean borbotones en un barrio desolado y sin un alma. Es como si la ciudad entera estuviese emergiendo del mar. Una perfecta visión post-cataclísmica para una infección pulmonar.

Con la sudadera te limpias los pies y te la vuelves a poner, más sucia que cuando te la quitaste. El jersey está húmedo, pero no empapado, ha perdido peso y tamaño; los calcetines siguen también mojados, pero ponibles, y haces uso de ellos. Finalmente enrollas las mangas del jersey alrededor del cuello y consigues taparte hasta la nariz; colocas los hombros de la gabardina sobre tu cabeza, enfundas los puños en sus mangas y te pones de nuevo en marcha.

La urbe sigue desierta, no pasan coches y no se oye ni un ruido. No sabes cuánto tiempo has estado en el contenedor, seguramente hayan sido tan solo unas pocas horas.

Caminas famélico, tosiendo graves flemas de bronqueo imposibles de liberar. Buscas con parsimoniosa inseguridad el parque que hay frente al Zenit, esperando que esta noche Candi también se deje ver. Todavía tienes frío en las piernas. Si por lo menos tuvieses un lugar para reponerte y algo de comida caliente…

Las calles parecen estrecharse por momentos y en los bajos de las casas tan solo hay negocios cerrados, pero pronto comienza la actividad en esta mañana de domingo: mujeres paseando al perro, alguna corriendo con su equipación deportiva, otras que simplemente han bajado a comprar el periódico. Te estás acercando al centro de la ciudad, aunque pasearte a plena luz del día entre tanta gente de bien es un riesgo eminente. A pesar de evitar pasar demasiado cerca de cualquiera, muchas de ellas te miran. Lo notas. Tal vez debas esperar escondido hasta la noche. El Zenit no puede estar muy lejos.

Un callejón sin salida, mugriento y con un delicioso aroma a frito. Te refugias tras unos cubos de basura bajo una ventana que deja escapar el calor, el humo y los olores de una cocina de esas en las que te puedes derretir. Desde fuera se oye el burbujeo abrasador de la freidora y una espátula de metal raspando la plancha de cocina. Más adentro, la televisión a todo volumen. Tras unos anuncios abre el telediario:

«Se ha hecho oficial esta mañana: un hombre se ha escapado del centro de preservación durante el trágico motín que tuvo lugar ayer. Se le ha visto en caminos pocos transitados a las afueras de la ciudad. Las fuentes policiales indican que podría encontrarse refugiado en algún monte cercano, aunque no descartan que se dirija hacia el núcleo urbano. En caso de encontrase con él avisen inmediatamente a las autoridades. El sujeto puede llevar a cabo conductas irracionales y peligrosas...».

—Ya están otra vez. Los clones y sus motines —comenta una voz femenina, también lejana, difícil de seguir por el volumen del televisor—. No sé de qué se quejan. Viven gratis, ¿qué más quieren?

—Sí, ya me gustaría a mí vivir de ir de fiesta todos los fines de semana y no tener que madrugar los domingos —dice otra voz de mujer.

—A mí lo que me gustaría es venir a trabajar después de haberme follado un buen pavito de corral —dice la primera voz—. Eso sí que me gustaría —se queda diciendo.

—¿A ti? ¿Tú para que quieres un hombre? No sabrías ni qué hacer con él —dice la segunda voz con un desdén dominante.

—Bueno, relájate —responde la primera con apuro—. Que aunque no todas podemos permitirnos citas cada pocas semanas, no significa que no sepamos cómo tratar a un hombre.

—Ja, ja, ja —ríe la segunda—. ¡Qué vas a saber! Tú no tienes ni idea. A ti seguro que te echan un polvo rápido para acabar pronto y se te quedan dormidos.

—¿Y tú qué sabes?

—Nada, yo no sé nada —dice irónica.

—Claro, no como tú, que eres muy hembra y los tienes despiertos toda la noche, ¿verdad? —contesta a la primera ya a la defensiva.

—No, si vas con esos jerséis a las citas seguro que no tienes ni idea de lo que quieren los hombres. Aunque puede que tengas razón, con ese bigote que te gastas, el chorbito va a tener que tomar una Viagra y así sí que los tienes despiertos toda la noche —dice riendo.

—Vete a la mierda.

—A los hombres hay que tratarlos bien, tener algún detalle con ellos, ponerse guapa... Durante la cena te insinúas un poco, así haces que les aumente el interés y ya vengan deseosos. Y cuando vayáis al hotel les tocas un poco la polla para que se terminen de poner cachondos, les dejas que te coman el coño y cuando están que no pueden más, te los follas. Estarán tan deseosos que los tendrás dispuestos toda la noche. Así son los hombres, hay que engatusarlos, seducirlos, dejar que te deseen, pero no siempre darles lo que quieren, no hay que olvidarse nunca quién es la que paga.

—Tú siempre con tu rollo.

—¿Qué rollo?

—Tu rollo. Yo cuando voy con un hombre me gusta gozar con él, y no castigar a nadie con juegos y estrategias.

—¿Gozar con él? Vaya fantasías te gastas. Y luego él se enamorará de ti y huiréis los dos a Irlanda —dice la segunda voz irónica—. Creo que le das demasiado al juguete de pilas.

—Bueno, como todas.

Las dos ríen y pasan un tiempo calladas. A ti te duele la cabeza y te sientes débil. Toses repetidamente, grave, con los pulmones cargados.

La televisión habla ahora de la presidenta de Francia, la canciller alemana, la primera ministra italiana y otras políticas europeas que se han reunido en Aberdeen con la primera ministra británica y la presidenta de Irlanda para discutir sobre los derechos de los hombres y la emigración ilegal hacia las Islas. Mientras, unas patatas salen de la freidora y otras entran, haciendo que el aceite reaccione con una gárgara abrasadora.

En el interior del bar se oye movimiento, sillas que se corren y gente charlando a la que no se le entiende nada. Al cabo de unos minutos un grito sobresale por encima del resto de ruidos:

—¡Dos de lomo y queso, un tres en uno y una de patatas!

Bajan el volumen del televisor y la conversación de nuevo vuelve a ser nítida.

—¡Eh! ¿Te imaginas follarte a Guille? —dice la primera voz.

—¿Qué dices? —dice la segunda riendo—. ¿Al viejo?

—¡Sí! —exclama riendo por lo bajo.

—Qué va, tía.

—¿Tú crees que aún se le levanta?

—No creo, si no estaría casado o en un centro de preservación…

—Sí, en un centro de preservación —dice irónica la primera voz—. Si está más arrugado que una pasa.

—Calla, que te va a oír.

—Qué va, desde la cocina no se oye nada.

En ese momento, suena la súbita entrada de carne fresca en la plancha, como un chasquido infernal que deja escapar un delicioso aroma a cerdo.

—¿Crees que sería guapo de joven?

—No sé, yo creo que siempre fue viejo.

Las dos mujeres ríen tras los ruidos del papel de aluminio; los platos de cerámica chocan entre sí para finalmente acabar siendo amontonados en una pila.

—Oye, Guille, ¿qué te parece lo del tío ese que escapó del centro?

—Tiene un par de huevos —dice la franca voz del hombre.

—Serán testículos, porque los hombres huevos no tenéis, que yo sepa.

—Los testículos también son huevos —reclama Guille seco.

—Caray, con qué humos venimos hoy —dice una de las mujeres sin que nadie se interese en replicar nada. Desde la televisión, la tonta melodía de un anuncio de seguros obstruye el silencio y alguien sigue comiendo pipas.

El establecimiento comienza a llenarse. El murmullo del jaleo de familias explayándose, niñas chillando, carcajadas impropias y sillas chirriando. La televisión siempre por lo alto. Un grifo como de ducha se abre y se cierra y bandejas hasta arriba de platos entran en el lavavajillas; la freidora funcionando sin descanso, la espátula rascando la plancha, el bacon compungiéndose crujiente. Simplemente te adormeces entre esta nebulosa de barullo y olores.

Inesperado y desgarrador, golpeado a traición y por la espalda por un infame aullido metálico. El tímpano da la voz de alarma y luchas por ocultar el sobresalto, no deberías moverte, puede que aún puedas pasar inadvertido. Encorvado en tensión, deseando que la pared te absorba y desaparezcas. Contemplas al hombre, que viste un mandil y lleva una gran bolsa de basura en la mano que arrastra hasta llegar al contenedor donde la arroja como quien echa las redes al mar. Las zapatillas de goma vuelven sobre sus pasos y se plantan ante ti. Su espalda y rodillas se doblan poniendo en marcha un engranaje sobreexplotado y de una antigüedad babilónica. Con la lentitud de un astro sobre el horizonte, su rostro se planta ante ti. En lo moreno de su tez, sus arrugas profundas forman una cara tan hinchada que podría componerse solo con mondas. Sus ojos son dos puntos negros sobre un blanco cremoso. Su boca, inmóvil, recogida y probablemente empequeñecida por algún mal trago, acaba por definir una expresión de serenidad sauria, ancestral.

Sin mediar palabra, el hombre se retira y vuelve a entrar en la cocina. Tal vez deberías huir. Eso es lo primero que se te pasa por la cabeza, si el viejo da el aviso de que el fugado está en el callejón de atrás estás perdido, aunque por otra parte no te ha dado esa impresión. En cualquier caso estás demasiado hundido como para no arriesgarte y todavía puedes oír movimiento en el bar. Además, aún no sabes cómo llegar al Parque Central.

La puerta de metal se vuelve a abrir, es Guille de nuevo. Ahora lleva una pequeña bolsa de plástico azul en la mano.

—Toma, espérame aquí hasta que salga —dice entregándote la bolsa—. Que sepas que estoy contigo —acto seguido vuelve a entrar en el bar.

Desenvuelves la bolsa caliente entre ansiosos movimientos. Un bocadillo de pechuga de pollo, unas patatas y una Coca-Cola. Enseguida desgarras el papel de aluminio y empiezas a devorar la comida, llevándotela a la boca sin sentir el mínimo pudor por hundir entre el pan y los fritos tus sucios y cochinos dedos. Al acabar te guardas los restos en el bolsillo del abrigo. Sin levantarte estiras un poco las piernas. Empapado en un acalorado sudor, sucumbes y te quedas dormido.

Al despertar ya no oyes los ruidos del bar ni de la cocina, simplemente estás ahí sentado, fundido con esa pasta gris con la que hace tiempo que la ciudad también parece haberse difuminado. Frente a ti la pared blanca y sucia en la que proyectas tu ser, estático y absorto, dejando las esperanzas y anhelos archivados y bajo llave. Esperando sin aspirar a nada, horas de minutos indeterminados, minutos de segundos imposibles. Apenas el arrullo lejano de una paloma.

Una vez más la puerta se abre. Es Guille vestido de calle, sin el mandil.

—Levántate —te dice—, vamos a salir de aquí. ¿Tienes adónde ir?

—Quiero ir al Parque Central —manifiestas poniéndote en pie.

—¿Estás loco? Te están buscando, en el centro hay controles, están parando a los coches.

—Me da igual, si me cogen que me cojan. Solo puedo confiar en una persona y esa persona está allí.

—Puedes confiar en mí.

—No. Tengo que ir al parque —dices envalentonado y delirante por la fiebre.

—Escucha, puedes quedarte en mi casa y cuando esto se haya calmado un poco podemos ir a buscar a esa persona.

—No. Tengo que ir a buscarla cuanto antes —dices delirante—. La quiero.

Se producen unos segundos de silencio y el

hombre contesta disconforme, rendido y desarmado:

—Ya veo —en un suspiro fuera de circunstancia y tras unos segundos de reflexión arranca con una idea—. ¿Qué llevas debajo de la gabardina?

—Una sudadera.

—Vale, quítate la gabardina, yo te tapo —dice acercándose y abriendo su abrigo, cubriéndote de cualquier mirada que pueda pasar por delante del callejón.

—¿Qué?

—Haz lo que te digo, date prisa —murmura mientras te vas desnudando—. Sí, y ahora quítate la sudadera, enróllala y átatela al culo. Así. Ahora dame lo que llevas al cuello, ¿vale?

Guille también enrolla el jersey, te hace dar media vuelta y te lo ata a la espalda, a la altura del pecho. Lo aprieta bien, con la convicción de quien aprieta un corsé.

—Bien, ya está, así pareces más una mujer —dice devolviéndote la gabardina—; toma, coge esto.

Te da una bufanda y una gorra de cocina como la que él llevaba antes.

—Así no se te ve la cara, así, bien.

—¿Qué hacemos ahora?

—¿Seguro que quieres ir al Parque Central?

—Sí.

—Vale, sígueme. Ve siempre detrás de mí.

Los dos camináis unos cuantos metros, él te dice que andes encorvado, que lo importante es disimular el cuerpo de hombre. Camináis por unas calles casi desiertas y os detenéis al llegar a una marquesina en la que no hay nadie esperando.

—Siéntate ahí, en la esquina —dice Guille.

—¿Vamos a viajar en autobús? —le preguntas haciéndole caso.

—Sí, en coche nos pararían casi seguro, y andando también. No creo que registren un bus urbano. —Parece que quiere seguir hablando, pero su mirada se queda fija bajo tu presencia.

—¿Qué pasa?

—Tus pies.

—¿Qué les pasa?

—Son enormes. ¿Qué calzas? ¿Un 47?

—Un 46.

—Pues son enormes. Una mujer que calce un 41 ya tiene un pie grande. Un 42 o un 43 no llamarían mucho la atención, pero los tuyos son enormes.

—¿Y qué quieres que haga, que me los corte? —dices alterado mientras ves a una señora aproximarse a la parada.

—No, pero procura andar encorvado, pisando solo sobre la punta, con pasos cortos, así no se notan tanto.

La mujer se planta en la marquesina sin mediar palabra, Guille se interpone entre vosotros.

Tú estás espachurrado contra el cristal, como en una jaula de laboratorio.

El autobús, con presenncia arrolladora, se aproxima a la parada. Monstruoso e impoluto, deja su morro por delante de vosotros. Parado, os abre las puertas invitándoos a subir a su lomo. Primero sube la señora.

—Detrás de mí —dice Guille, avanzando hacia el monstruo.

Subes el escalón justo detrás de él, encorvado, con los brazos pegados al cuerpo para que no se caigan las prótesis de tela gorda, casi de cuclillas, tal y como Guille te dijo.

—Dos —dice Guille a la busera, que expende dos billetes sin mayor miramiento.

Guillermo te hace un gesto para que vayas pasando hacia el interior del autobús mientras él despacha los billetes. Después se vuelve y, levantando las cejas, te indica que ocupes unos de los asientos del fondo. El autobús está casi vacío, solo la señora que acaba de subir y dos mujeres más de mediana edad a las que ni miras. Te sientas y Guille hace lo propio una plaza por delante de la tuya. Te acurrucas contra la ventanilla y el autobús se pone en marcha. Elevado en tu asiento, expuesto a toda la ciudad que pasa por delante de tus ojos, ante un cristal inmenso. La gente pasea a lo suyo. No puedes encogerte más.

—Cuando llegue la parada te bajas tú solo, yo me bajo en otra —dice Guille susurrante, torciendo el cuello hacia ti—. Si quieres venir conmigo, aún estás a tiempo y nos bajamos ahora, pero en el centro no quiero jugármela; si me pillan contigo me meto en un lío.

—Vale —contestas secamente desde el rincón.

—¿Vale qué?

—Bájate cuando quieras.

—Me bajo después de ti, no te preocupes. Yo en el parque no pinto nada, cantaría demasiado.

—Haz lo que quieras, me da igual —dices con gran decepción, convencido de que la idea de subir al urbano ha sido mala desde el principio.

Conforme pasan las paradas el autobús se llena cada vez más. Una mujer se sienta a tu lado y descubres que todavía puedes encogerte más, aunque solo sea para tus adentros. Paralizado en tu asiento, mirando a un punto fijo, manteniendo una discreta respiración. No te vayan a delatar por no dejar de existir, tal vez solo con el aliento tengan suficiente. Bajo el abrigo, la bufanda y la visera no puede haber nada, no puede haber nadie. Sumergida en el esperpento de ropas inverosímiles, una tos bronca pretende pasar inadvertida.

Las calles de la ciudad se te hacen reconocibles y el tráfico lento. Desde el autobús todas estiran sus cuellos hacia un lado u otro, intentando averiguar qué es lo que pasa. La policía está llevando a cabo un registro. Una fila de coches aparcados con los maleteros abiertos, agentes del orden revisando documentación. El cristal de la ventana es amplio y nítido; rezas por que nadie repare en ti. En el autobús una mujer murmura «malditas fascistas» mientras el resto mantiene un silencio de rigurosa indiferencia. Sigues rezando por que nadie se fije en ti. Algunas mujeres miran de reojo a Guille.

El autobús se detiene en una parada y una agente de policía sube y habla con la busera dejando tras de sí una cola de personas que espera para hacer uso del transporte público.

—¡Fuera, basura fascista! —chilla la mujer—. ¡Fuera! ¡Fascistas! ¡Libertad para los hombres! ¡Los hombres son prisioneros del Estado! ¡Escoria fascista! —grita cada vez más turbada, dirigiéndose hacia la sorprendida defensora de la ley que hasta entonces se había esforzado por ignorarla.

La exaltada golpea a la agente con el puño desde arriba. Esta se recompone y la reduce como puede. El autobús entero vocifera por igual mensajes de apoyo e insultos a la mujer, que no tarda en ser desalojada del urbano para acabar siendo reducida en el suelo. Otra policía se acerca a la cabina de la conductora y le indica que prosiga la marcha.

Los pelos se ponen en punta y las pieles de gallina. Unos pocos comentarios en contra y a favor bastan para mantener un ambiente tenso dentro del autobús. Guille se baja antes de lo previsto en la siguiente parada.

Continúas tu viaje solo, a la deriva en la línea metropolitana, enfermo y rodeado de gaviotas.

La mujer que tienes sentada a tu lado se levanta y se baja. En esta parada hay mucha gente esperando para subir. Aprovechas para bajarte tú también.

Antes de pisar el arcén el jersey que llevas atado al culo cae al suelo. Una voz te llama, «disculpe, disculpe», pero haces oídos sordos sin mirar atrás.

Sabes dónde estás, conoces la calle, estas cerca del Zenit, abandonas progresivamente los andares cortos y tu encorvamiento. Caminas deslizándote entre cruces de calles y esquinas, arrimando tus mejillas a las paredes de los edificios, casi rozándolos, respirando su piedra nublada y fresca, sin apartar la mirada del suelo. Ajeno a toda sociedad avanzas hacia el parque, donde desfalleces tras unos arbustos, unos urinarios o sobre un banco…, qué más da.

Lo único que importa es que te levantas de noche y a lo lejos distingues su figura que empuja un cubo, caminas lentamente hacia ella y, entre harapos, caes en sus brazos.

Candi.

14

Inconsciente y molesto: una insostenible columna derrumbada e intacta sobre un árido llano, apartada de las ruinas. El fugaz graznido de una gaviota al otro lado de la ventana rasga la abstracción, unos levitados segundos dan paso al familiar ruido de una cucharilla batiendo en el vaso la antiséptica llamada de la disolución del granulado.

Y aquí viene la delgada Candi. Benévola y seria, sostiene el vaso entre sus finos dedos de uña pequeña, casi como recortados, pertenecientes a otra naturaleza. Sin implicar al resto de la mano, permanecen estáticos en su cometido, con el pulso de una tenaza. A través del vidrio aún puedes ver parte del polvo sin diluir que gira en un leve remolino, resistiéndose a formar parte de la uniforme blanquecina opacidad.

—Toma —te dice, acercándote la medicina.

—Gracias —respondes, incorporándote para tomártela de un trago.

—¿Qué tal estás hoy?

—Bien, ya casi bien del todo —dices devolviéndole el recipiente—. Todavía un poco débil, pero mucho mejor. Tengo que recuperar fuerzas. —Te desperezas con una sonrisa entusiasta.

—Pues esta mañana no parecía que estuvieses muy debilitado —comenta ella abriendo también esa sonrisa por la que tanto suspiraste.

—Ya verás cuando esté recuperado del todo —le dices cogiéndola por la cintura. Ella se ríe, tú también te ríes. Cae sobre ti y os besáis.

—Eres increíble —murmuras mirando de reojo el póster de James Dean en el que aparece fumando un pitillo con un sombrero de cowboy.

—¿Te gusta estar aquí? —te pregunta, refiriéndose seguramente a nada demasiado concreto.

—Me gusta estar contigo.

—A mí también me gusta estar contigo —dice con sus acogedores y oscuros ojos—. Cuando salga por la tarde compro condones.

—Vale —dices riendo.

Ella también ríe, tontamente y sin control. No necesitáis más entretenimiento que estar el uno con el otro. Así pasáis la tarde, la felicidad avanza con las agujas de vuestros relojes.

Después de todo, parece que el futuro no es un monótono camino hacia la inanidad. Tras cinco días viviendo en su casa, y a pesar del terrible recuerdo de la última semana, no te puedes sentir mejor.

De los primeros días apenas tienes recuerdos. De alguna manera Candi fue capaz de arrastrarte hasta aquí y te metió en su cama. Fueron jornadas febriles, de mucho reposo, antibióticos y, por supuesto, sopa caliente. Pasabas el día en cama, muchas horas durmiendo, pero muchas otras despierto, sin mayor pasatiempo que el de dejar que fantasmas y esperanzas vagasen por tus pensamientos. Cómodamente, inmóvil y ceñido bajo las mantas, como una momia. En alguna ocasión te despertaste de noche preguntándote si habría alguien en casa o si ella habría salido a trabajar; aburrido y débil, sin animarte a alzar la voz, recomponiéndote desde lo más bajo. Otras veces ella se quedaba sentada en la cama junto a ti, mirándote. Tú querrías haberle cogido la mano, pero entonces te costaba demasiado incluso mantenerle la mirada.

Al tercer día ya te encontraste con la suficiente energía como para quedarte mirándola a los ojos durante más de un minuto. Entonces ella permaneció quieta, preocupada y quieta hasta que el encanto terminó por desgastarse y se levantó para marchar, pero tú la cogiste de la mano.

—No, espera. Quédate conmigo.

Ella volvió a sentarse y tú le agarraste por la muñeca.

—No me dejes —añadiste en un miserable sollozo, una fuga del quietismo en el que se asoman esas repentinas desfiguraciones que reposan inmersas bajo la ciénaga.

—Tranquilo, tranquilo —dijo ella abrazándote bajo su pecho, besándote la frente—, estoy contigo.

Tú lloraste hasta quedarte vacío. Entonces ella te besó en los labios, un ansiado beso que resultó ser más puro de lo esperado y que no caló. Tú ni siquiera fuiste capaz de corresponderlo ni de seguir llorando. Fue uno de esos besos que disipan las pasiones y no hacen otra cosa que obligarte a hablar, por lo que emergió en ti esa necesidad tan miserablemente humana de compartir el dolor que, junto al vértigo de la confesión, dejó que las palabras se precipitaran por un ansioso terraplén.

En tu relato contaste casi todo lo que te pasó las últimas semanas pero, por vergüenza, omitiste lo que realmente aconteció la noche después de vuestro último encuentro, aunque no desaprovechaste la ocasión para arremeter contra Rita y tacharla de hipócrita y traidora. Ella te compadeció, te abrazó con el cálido cartílago de su cuerpo, apretando sus huesos y pequeños senos contra tu aún delicada salud. Se metió en la cama con ropa, los dos os acurrucasteis bajo las sábanas y os contasteis cuentos sobre vuestras vidas en aquella acogedora intimidad, resguardados de la tormenta y dejando que cayera la noche.

Al día siguiente alguien llamó a la puerta. Ella se levantó y tú seguiste durmiendo. Solo entre cabezadas oíste la voz de una mujer mayor. Después Candi volvió a la habitación y se metió de nuevo en la cama. Tú te despertabas perezosamente mientras ella te acariciaba la cara con sus pequeñas manos de uñas cortas.

En un halo de esperanza recordaste el beso de la noche anterior y, aún comedido en voluntad, deseaste clementemente que se repitiera.

Sentiste su aliento cerca de tu cara, abriste los ojos y te encontraste con todo su rostro. Esta vez dispuesto al atrevimiento, sus ojos eran los de un depredador domado. Volviste a cerrar los párpados y alzaste tu presencia tan solo unos centímetros hacia ella para toparte con sus labios y desplantar un contenido impulso que llevaba rehogándose en tus entrañas desde hacía demasiado tiempo.

La vivacidad de la unión estaba atada muy corta por la prudencia de cuatro manos incapaces de creerse su propio albedrío sobre la piel de la que tanto habían oído hablar. Ávidas, insaciables y torpes. Invadidas de ansiosa curiosidad sobre las formas de carne y hueso que marcaban el bello terreno.

Tras un accidentado desnudo, Candi terminó por quitarse las bragas y te susurró un prometedor «espera». Abrió el cajón de la mesilla y cogió un aerosol con el que de súbito se roció brutalmente la entrepierna. Tan solo este acto irracional fue suficiente para destruir el clímax de aquel plácido encuentro. El aire se volvió tóxico bajo las sábanas, irrespirable. El olor barniz disimulado con aromas sintéticos se ha convertido en una reminiscencia monstruosamente familiar para ti, capaz de erradicar cualquier sensación de intimidad.

Te separaste de ella dando un salto, saliendo de la cama por primera vez en días, espantado y colérico, como quien ha visto al diablo. Tosiendo, tapándote con la mano la nariz y la boca.

—Pero, ¿qué haces? —preguntaste con insolente indignación mientras ella quedaba atónita, mirándote recogida en el estupor de sus ojos, que por un instante perdieron su belleza.

—Me echo el espermicida —te contestó con titubeante firmeza ante la abismal duda.

—No se hace así.

—¿Ah, no? —dijo perpleja y digna, esforzándose en desatender su propia ignorancia.

—No, joder, eso hay que hacerlo en otra habitación, y nunca debajo de las sábanas.

—Perdona, yo qué sabía —contestó agobiada, reteniendo el rubor.

—¿Qué pasa? ¿No lo habías usado nunca?

—No.

—¿Y cómo es que tenías un espermicida en la mesilla?

—Yo qué sé... —dice tímida y nerviosa—. Pensé que algún día estarías mejor y que nos podría hacer falta —terminó por decir, rendida y avergonzada, con la cabeza gacha.

Entonces te quedaste perplejo. «¿Cómo podía ella pensar en tener sexo cuando aún estaba moribundo?» fue la pregunta que te invadió la razón. Puede que fuese algo que tú mismo siempre desearas, pero desde luego no era el momento de pensar en ello. Esta idea te enfureció.

Ninguno de los dos dijo nada. Ella rompió a llorar saliendo de la habitación y a ti te empezaron a entrar sudores, un leve mareo. Tan solo unos pasos adelante en un intento de huir de la habitación infestada, un último bajón, una lucha por mantenerte en pie. Aún resistiendo un vértigo insostenible, no llegaste a tener noción de desanclar los pies del suelo. Incluso cuando tu pómulo estaba a punto de recibir el impacto, luchaste por mantener la verticalidad. En tres pasos te desplomaste.

Recuperaste el sentido en el sofá en el que estás ahora tumbado, preguntándote cuánto tiempo llevarías inconsciente, «seguramente horas», pensaste. Pero Candi todavía tenía lágrimas en los ojos.

—Perdona, perdóname —decía ella.

Tú no pudiste decir nada.

Pasasteis el día sin hablaros, ella dolida y tú débil y con remordimientos de conciencia. Solo antes de irse a trabajar te dijo:

—El ordenador se queda encendido, si quieres puedes mirar internet. Yo volveré a las dos.

Sin decir más, cogió la puerta y se fue.

Esta vez más que nunca, la tarde se presentaba silenciosa e inerte, por lo que procuraste no moverte y dormir gran parte de ella, cuando no estabas despierto permanecías con los ojos cerrados sin escuchar más que alguna bocina de barco y las grúas del puerto, cargando y descargando mercancía.

Caída la noche y habiendo descansado, despertaste en la escuálida quietud que invadía el apartamento. Desvelado y sin tener nada más que hacer que aliviar la vejiga, te dirigiste al cuarto de baño.

De pie ante el inodoro, descargaste una profunda y colorida meada. Al acabar, tus párpados cesaron de revolotear de puro alivio y posaste la mirada frente al espejo del pequeño armario que hay sobre el váter. Allí estabas tú. Decrépito, consumido y sin afeitar en la modesta casa de Candi de cuarenta metros cuadrados. Un espacio mucho más reducido que el del centro, cierto. Pero un espacio en el que tal vez puedas ser libre, o al menos por un tiempo.

Te sentías arrepentido por tu actitud en el incidente del espermicida, pero aquello fue algo que te hizo entender que Candi era una persona que, a pesar de haber cuidado de ti y haberte dado refugio, era una verdadera desconocida. La idea que te habías hecho de ella podía estar llena de espejismos, quién sabe. Lo único seguro era que aquí estabas a salvo y que fuera te estarían buscando. Exponerse de nuevo sería echar todo a perder. No había más sitios a los que ir que este mismo, esta celda de cuarenta metros cuadrados de libertad, ¿pero libertad para qué?

Sin mayor impulso que la curiosidad, abriste la puerta del armario en el que te estabas viendo reflejado. En el interior encontraste polvos de talco, algodón, yodo y otros productos arrinconados hacia el fondo; una taza souvenir de Barcelona con un único cepillo y un esmirriado tubo de pasta de dientes ocupaba el estante más bajo del mueble como un necio trofeo a la soledad; un tarro con bastoncillos para los oídos, un desodorante de rolón y compresas.

Estaba claro que las experiencias de convivencia anteriores no te iban a servir de nada aquí. No estabas en un espacio lleno de zonas comunes de las que pudieras evadirte refugiándote en tu habitación. Además, a eso habría que añadirle que, hasta la fecha, el único trato que tuviste con mujeres había sido con las que te supervisaban y con las que te querían para divertirse, la convivencia era un asunto que se te escapaba. Habías pasado de rodearte de un plural masculino a un femenino singular. Podía sonar un poco claustrofóbico, pero la idea de compartir la vida con otra persona no te podía parecer más excitante.

Cerraste el armario y al volver a verte la cara en el espejo te agradó ver el entusiasmo reflejado.

Bajo el lavabo encontraste una alacena, cosa que nunca hubo en ningún lavabo del centro, te pareció un detalle muy hogareño y te alegró comprobar que el cuarto de baño de Candi estuviese provisto de una. En su interior solo encontraste lejía, un desatascador, estropajo y otros productos de limpieza. Seguiste mirando a tu alrededor: jabones, champúes, colonia para bebés... Nada fuera de lo normal.

Saliste del lavabo y echaste un vistazo a la sala: muy ordenada. Únicamente encontraste alguna revista de contenido superfluo fuera de su correcta alineación. En los cajones solo viste papeles, las instrucciones de algún aparato electrónico y algún que otro cable pelado entre facturas, posiblemente desechado en alguna reparación doméstica; unas tijeras y un destornillador impecable, con la etiqueta puesta y todo. James Dean te miró con su pitillo en la boca, como preguntándote si estabas seguro de lo que estabas haciendo.

—Tú qué sabrás de qué va todo esto, James —le respondiste en sordos pensamientos.

En el dormitorio todavía olía a espermicida. En el armario de la ropa solo encontraste camisetas, un par de pantalones vaqueros, algún que otro jersey; un montón de calcetines, bragas grises y blancas y un par de sujetadores. Te sorprendió no encontrar ningún vestido, una falda o algún modelito para las ocasiones. Tampoco encontraste zapatos ni botas, solo calzado deportivo. No tocaste nada, cerraste delicadamente las puertas y miraste debajo de la cama, donde no había más que pelusa del polvo. La mesilla de noche tampoco contenía gran cosa: el recién desprecintado spray, aspirinas, algún folleto caducado, un consolador metido en su caja y una foto de ella cuando era niña junto a la que debía de ser su madre, que sujeta a un bebé entre sus brazos; ahí debía de tener unos seis o siete años.

Al entrar en la cocina sentiste el estómago vacío. En la nevera no había casi nada, no había leche ni para llenar un vaso que te tomaste de pie acompañándolo con unas galletas y un yogur. Ya algo reconstituido, cerraste la puerta de la nevera en la que, sujeta con un imán, se sostenía impresa en un folio ya algo gastado, la fotografía de un actor que interpretó a Superman en alguna serie de televisión antigua.

Sin encontrar nada más que comer que no requiriese meterse entre fogones, volviste al sofá. Solo alzaste un poco la vista y allí estaba el ordenador. «Puedes mirar internet» fue lo último que dijo Candi. Esa frase te hace sentir un poco culpable por la inspección, porque precisamente a internet es lo único en que no has reparado.

Hasta aquel momento nunca habías mirado nada en internet. Nunca habías navegado, ni siquiera habías buscado nada en un ordenador, en el centro no os dejan conectaros. Sí tenéis ordenadores, pero por una cláusula en el código de control con el contacto exterior no se os permite ni guardar datos personales en los CPUs. Aun así, sí habías oído hablar de internet: «la red de redes», «ahí es donde está todo», «se puede encontrar todo lo que a uno se le ocurra».

Sin pensarlo más te sentaste ante el ordenador y al mover el ratón se encendió la pantalla. En el escritorio enseguida encontraste un icono que ponía «Internet». Doble click y se abrió una ventana en la que aparecía un cuadro de texto con la palabra «Buscar» escrita. Pinchaste sobre esta y te quedaste pensando apenas un minuto en el nombre de la agente literaria amiga de tu padre, Clara, Blanca, Carla, Nieves... No estabas muy seguro del nombre, y del apellido ni idea. Lo cierto es que los recuerdos de aquel día son borrosos e inexactos. Probaste con los nombres que te sonaban y añadiste «agente literario», pero no sacaste nada en claro. Tras unos intentos frustrados desististe de la búsqueda y de nuevo pinchaste sobre la palabra «Buscar».

Una vez más te quedaste unos instantes ante el renglón vacío mientras el cursor del procesador de texto parpadeaba a la espera de que surgiera una nueva palabra con la que rellenar el espacio en blanco. En un lúcido ¡zas! te vino la idea a la cabeza. Estiraste tu espalda sobre la silla y tus dedos se precipitaron sobre las teclas con decisión escribir: «Irlanda». Después de una pausa de autoafirmativa dignidad pulsaste «INTRO».

En la pantalla surgió una interminable lista de enlaces útiles con información sobre Irlanda. Sin mayor dilación comenzaste una incesante e ilustradora lectura que te sirvió para conocer ciertas peculiaridades del país que desconocías hasta entonces, como que en 1921 se declaró república independiente separándose de Inglaterra, creando así un nuevo estado reconocido internacionalmente; que durante su historia la población ha sido sometida a terribles hambrunas; que allí se habla inglés y gaélico irlandés; que consta de veintiséis condados; que su TNM es del 37,8%. También descubriste docenas de informes y reportajes en los que pudiste leer frases como: «Irlanda, la tierra donde nacen los niños». «La isla de Irlanda tiene la tasa de natalidad masculina más alta del planeta»; «Irlanda, también llamada la esperanza de los hombres». «Se estima que unos mil hombres al año intentan llegar a tierras británicas o irlandesas desde el continente. No hay datos de cuantos lo consiguen, pero en el último año las unidades de Salvamento Marítimo europeas han interceptado y repatriado a cuatrocientos setenta y ocho varones que intentaban alcanzar ilegalmente sus costas, y al menos otros doscientos han muerto en el intento», así como muchas otras informaciones llenas de esperanza y tragedia que te dejarían de interesar al contemplar por primera vez las fotografías del paisaje.

Ya conocías la silueta, el dibujo geográfico de la isla, pero nunca habías visto fotos explícitas del país. En ellas hay verde, un verde irreal, con unos cielos que van del gris al azul, en unas imágenes en que tantas veces aparece el mar, vasto e impoluto, sin una embarcación. Solo la isla, emergida sobre los acantilados que resisten a la incansable espuma, dejando al país a salvo sobre la cima. Ya en el interior del paisaje, tu fantasía se avivó al contemplar sus edificaciones medievales: el grotesco castillo de Blarney, el desolado de Trim, el fortificado y de película de Cahir, el noble de Malahide... Con tanta admiración recogiste esta nueva información que enseguida empezaste a memorizar nombres como Galway, Cork, Kilkenny, Belfast, Kerry, Dublin *fair city where the girls are so pretty.* Vacas, ovejas y caballos libres sobre un escenario onírico. Lagos, bosques, piedras talladas. Padres e hijos. A tus ojos se presenta un paraíso encapotado.

La llave penetró en la cerradura sonando como un aserrar introspectivo, dio una vuelta y clack, la puerta se abrió. Te giraste para ver aparecer a Candi, que llegaba vestida con la ropa de trabajo. Ella hizo un breve gesto con la cabeza, saludándote con sequedad.

—Hola.

—Hola —contestaste prudente, algo arrepentido de las últimas palabras que le dirigiste.

—¿Qué tal estás? —preguntó quitándose el abrigo.

—Bien —contestaste.

—Me alegro —dijo—. ¿Te tomaste el antibiótico?

—No, me lo iba a tomar ahora.

—Ya te lo traigo yo.

Ella fue a la cocina, un corte de agua del grifo y la cucharilla ya estaba batiendo los polvos, golpeando incesantemente las paredes del vaso, sonido que ya se había convertido en el presagio de vuestros encuentros.

—Toma —dijo entregándote la medicina.

—Gracias —contestaste bebiéndotela de un trago—. Oye —añadiste, aunque algo dubitativo, valiente—. Perdona por lo de antes, igual me pasé un poco.

Con estas palabras Candi apartó la mirada y se ruborizó. Vencida por la temperatura de sus mejillas, no tiene más remedio que seguir con la conversación con toda naturalidad.

—Perdona, pero es que yo no sabía cómo había que echarse el spray. Aunque tampoco creo que sea para tanto, ¿no?

—Vaya, es que no te lo puedes echar debajo de las sábanas, ¿sabes? Es muy tóxico, hay que echarlo en otra habitación —dijiste, entonando sermonario, resabido.

—Mira, yo nunca he estado con un tío, ¿vale? Y lo siento si no sé cómo hay que echarse el puñetero spray, ¿entiendes? —dijo valiente e indefensa—. No tengo ni idea de nada, y me lo eché debajo de las sábanas porque pensé que era lo que se suponía que tenía que hacer. Pero está claro que me equivoqué. Lo siento —terminó por decir casi furiosa, casi acusándote, arrepentida.

Ya antes sabías que no tenías que haber sido tan duro con ella, pero en este momento además sentías el peso de la culpa. No habías sido comprensivo en la cama y no lo estabas siendo entonces. Te serenaste y te tomaste solo unos instantes para responder.

—Lo siento —arrancaste—, agradezco todo lo que has hecho por mí, y encima yo solo te he correspondido portándome como un energúmeno, lo siento —dijiste de nuevo, tomándote una pausa—. Pero yo sí he estado con muchas mujeres, y ese spray me trae muy malos recuerdos, para mí es muy desagradable, ¿entiendes?

—Entonces, ¿qué tengo que hacer?

—No te preocupes, ya compraremos preservativos.

A ella se le escapó una leve risa y a ti también. Le cogiste la mejilla y la besaste. El acercamiento os convirtió en criaturas frágiles que se acarician delicadamente, con miedo a romperse. Las frágiles caricias pronto se convirtieron en una tierna pasión que redujo vuestras incorformidades, y tu cuerpo, aún débil, amó a aquella pequeña y esbelta joven. Con qué ilusión la despojaste de aquellas rígidas ropas de trabajo. Y qué frescura sentiste al descubrir la vieja camiseta blanca y gastada que dejaba transparentar esos pequeños y negros pezones duros; y cómo se regocijaron las yemas de tus dedos al masajearlos y pellizcarlos, tratándolos como sobadas migas de pan. También fueron tus dedos los que bajaron por su cuerpo, dejando la mano expandirse sobre el sucinto vientre, recorriendo su tibia palidez hasta que el escalofrío alcanzó el espinazo. Instante desde el que nunca habéis dejado de sentiros morir.

15

—¿Pero ya se fue tu prima?

—Sí, ya se fue.

—Bueno —dice súbitamente la dueña, marcando una pauta en su discurso, pausada—. A mí me da igual que traigas a dormir a gente, pero si va a vivir aquí no puede ser. Que este piso es para una persona sola. Es un piso pequeño y es poco espacio para dos... Las cosas se gastan antes: la cocina, los muebles... Las vecinas se quejan del ruido. Es todo.

—Ya, ya lo sé —asiente Candi.

—Claro, es que no es lo mismo una que dos. Si se quiere quedar, yo, por mí, encantada. Pero os tengo que subir el alquiler. Porque yo, si pasa cualquier cosa, tengo que responder, y claro, es más fácil que os pase cualquier cosa siendo dos —repite la mujer—. Y si se os estropea algo o si las vecinas se quejan, se me quejan a mí.

—Ya, ya lo sé —repite Candi.

—Si yo sé que eres buena chica —dice la dueña condescendientemente—, pero para mí una inquilina más es un problema más —resuelve—. Y es así en todos lados. Si ya en los sitios de por ahí te dicen que de animales nada —dice tomándose un brevísimo punto y aparte—. Mi sobrina fue a Santiago a estudiar —vuelve a la carga—, cogió un piso con una amigas. Y una de las amigas llevó un conejo, uno de esos domésticos que son pequeños. Pasó un día por allí la dueña del piso —dice como preparando una reprimenda— y se lo vio. Y les dijo que allí no lo podía tener, que sintiéndolo mucho, pero que allí no lo podía tener, que en la comunidad no se admitían animales. Y la otra chica que por favor, que no molestaba nada, y la dueña que no. Que era una norma que tenía ella, que además que estaba en el contrato y que se lo tenía que llevar de allí.

—¿Y al final qué pasó? —preguntó Candi angustiada por el devenir del conejito.

—Nada, al final le mandaron el conejo donde está la madre de la chica, a Villalba, para que cuidara de él. ¿Qué te parece? Al finál el marrón para la madre. Ni un conejo le dejaban tener. Ya no te digo nada de si le metes en casa el gato ese tuyo.

—Ya.

—¿Qué tal anda el gato, que hace tiempo que no lo veo? Minino. Ps, ps, ps... Minino —dice la señora adentrándose en la casa, reclamando la atención del felino.

—No —dice Candi interponiéndose—, se murió hace ya unos meses.

—Lo siento mucho, era un gato muy bonito.

—Sí, sí que lo era.

—Bueno —dice la señora—, pues yo marcho. Para lo que quieras, o si necesitas algo... ya sabes. Me pegas una llamada y para lo que quieras —reitera la señora—. ¿Vale?

—Vale.

—Pues muy bien. Hasta otra, Cándida.

—Adiós.

Candi cierra la puerta de la calle y tú abres la del dormitorio para verla acercarse dando encogidas zancadas sobre las puntas de sus pies mientras cruza el dedo índice sobre su boca, luchando contra su propia sonrisa, y deja escapar un prolongado «shhhh» que suena a un alegre escape de gas. Ligera y firme, como siempre, te alcanza para abrazarte y darte un beso.

—Hay que procurar hacer menos ruido, que si no, nos echan —dice Candi sonriente con voz de hablar bajito.

—Vale —le contestas en el mismo tono.

Y ahí os quedáis, el uno con el otro. Con vuestra existencia suspendida en una tenue exhalación de aire polar; juntos, delicados y únicos como un copo de nieve; riéndoos, besándoos y dándoos minúsculas caricias en el recogido apartamento.

Han pasado ya casi dos meses desde tu llegada a esta pequeña vivienda de un último piso. Durante este tiempo os habéis ido conociendo. Cuando estáis juntos no paráis de hablar. Muchas veces prolongáis conversaciones infinitas que duran toda la noche, os explayáis dejándoos llevar sobre temas intrascendentes, vanos; contándoos anécdotas remotas, sensaciones infantiles; hablando por hablar, sin preguntas. Un discurso indefinido, unidireccional y continuo, un monólogo a dos voces, remontándose incesantemente sobre sí, prosiguiendo la voz de uno sobre la del otro. Dos grifos abiertos vertiendo palabras, ansiosos por llenar una bañera con fisuras en la que nunca llegaréis a sumergiros.

Los primeros días fueron los más difíciles, ya que tras tu recuperación sentiste una inevitable sensación de acartonamiento. Llegar hasta aquí ha sido un avance extraordinario, pero vivir en un espacio reducido y la falta de aire libre son condiciones que llevan a la pereza y la desilusión. Desde el principio aprovechaste los momentos en los que Candi estaba fuera para llevar a cabo las tareas domésticas. Sentirte ocupado realmente activaba tu espíritu, pero al acabar de ordenar, limpiar, airear y planchar todo lo desordenable, ensuciable, aireable y arrugable, solo te quedaba esperar a que pasase un montón de tiempo libre, o mejor dicho, desocupado.

Navegar en internet se convirtió en una actividad recurrente, las sesiones se centraban principalmente en consultas sobre precios de barcos, en adquirir alguna noción de náutica y, al final del día, siempre dedicabas unos pocos minutos a buscar a la amiga de tu padre.

Te daba rabia pensar que con el dinero que tenías ahorrado podrías haber comprado una embarcación pequeña, o que si hubieses salido del centro con la tarjeta que te dio aquella agente literaria podrías haber entrado fácilmente en contacto con ella, puede que hubiese bastado con una llamada telefónica.

La falta de actividad y las noches en el sofá te agriaron el carácter, así que, en un intento de paliar tu descontento, Candi te compró una bicicleta estática para que hicieras algo de ejercicio y también la maqueta de un barco. No se trataba de una embarcación actual, sino un galeón inglés, pero eso bastaba para ilusionarse y viajar a las islas, aunque fuera en otro contexto, en otro tiempo y solo en tu cabeza.

A pesar de que en un principio la idea de abandonar el país no entusiasmó a Candi, no tardó en comprender lo necesario que era para ambos, especialmente para ti, dar ese paso. Juntos pasabais las noches fantaseando con tomar cursos de náutica y haceros con un pequeño pesquero o una lancha con la que poder llegar a Inglaterra, pero esta era una realidad lo suficientemente distante que nunca supisteis cómo llegar a realizar. Se os ocurrió que quizá trazando una línea recta, una ruta directa que atravesase el Cantábrico hasta las islas; tal vez demasiado para dos marineros inexpertos en un barco pequeño. También se os había pasado por la cabeza bordear por mar toda Francia, haciendo paradas en algunos puertos pequeños, y acabar desembarcando en la isla de Jersey, aunque tampoco parecía una empresa muy fiable;

Jersey es el destino de muchos varones ilegales, sería más que probable que acabaseis por encontraros con alguna patrulla.

De todos modos nunca profundizasteis lo suficiente en ningún plan. Por aquellos días las ilusiones solían resolverse con facilidad en finales felices. Siempre encontrabais escape para cualquier idea, por absurda que fuese. A pesar de que desde vuestra ventana no se ve el puerto, la cercanía del mar os motivaba. Tan solo un estrecho rectángulo de mar, una porción de océano recortada de entre los edificios que cubren el paisaje.

Hace una semana que estas fantasías quedaron obsoletas ante la expectación que generó el verdadero avance de dar con la amiga de tu padre. En efecto, se llamaba Carla pero el nombre que usa comercialmente y el que ponía en su tarjeta era el de Carla Carso, ahora sí que lo recuerdas. Encontrasteis la agencia y una dirección de correo electrónico en internet. Después de un breve intercambio de absurda correspondencia, un torpe tanteo de excusas inverosímiles y bruscas revelaciones con las que pretendíais averiguar si realmente era ella con quien os escribíais y si estaba dispuesta a ayudaros, le confesasteis quién eras y en qué situación te encontrabas. Enseguida os pusisteis en contacto con ella por teléfono, le disteis vuestra dirección y quedó en venir el viernes a vuestra casa para discutir qué debíais hacer. Durante aquella breve conversación dijo con apresurada devoción que por ti haría lo que hiciera falta, que tu padre era un gran amigo y, además, aseguró conocer a gente que os podría ayudar.

Desde aquel momento supisteis que habíais dado el primer paso en un camino hacia la prosperidad, y lo habíais hecho sin barcos ni nociones de náutica, por lo que estos últimos días los habéis pasado funcionalmente armoniosos, libres de fantasías epopéyicas y serenamente felices.

La cocina es otro descubrimiento que ha supuesto esta nueva vida, una actividad con la que ocupar el tiempo en el que esperas a que Candi llegue a casa. Tenerle la cena preparada para cuando vuelve de trabajar es un mérito que te satisface, algo que ella siempre aplaude y agradece, un detalle con el que siempre se cuenta. Le estás cogiendo el gusto a esto de vivir en pareja.

Esta noche celebráis haber entrado en contacto con Carla, así que te preparas sometiéndote a tu sesión de bicicleta diaria y la reconfortante y prolongada ducha. Te gustaría contar con tus ropas de galán que allá quedaron, en el centro, «a Candi le encantaría», piensas. Pones algo de música y organizas los utensilios e ingredientes que vas a emplear en el rollo de carne picada que vas a preparar para la cena, es una sorpresa. Candi te dijo en alguna ocasión que su madre lo preparaba genial, pero que ya hace años que no lo cocina.

Pones a cocer los huevos mientras adobas la

mezcla de vaca y cerdo; cuando consideras que todo está lo suficientemente mezclado, bates un huevo y lo echas, junto a la harina, sobre la carne cruda, no antes de llevarte un pedacito de esta a la boca y sigues amasando. Le añades el pan rallado y sigues amasando a ritmo del viejo *rock n' roll* de mediados del siglo pasado que suena en el reproductor. Te lavas las manos para coger el cuchillo y troceas las aceitunas. Pasas los huevos bajo el grifo del agua fría y también los cortas en rodajas para mezclarlo todo con la carne a la que das forma de rollo y metes en el horno. Ahora solo te queda hacer la salsa, pero la carne aún tardará, así que mejor vas preparando la mesa.

Pasas al salón y cambias la música por la tele. Extiendes el mantel, alzándolo al aire y dejando que la tela tome la ondulada forma en su lenta caída, un acto doméstico y cotidiano cuya armonía tan solo se ve invadida por un breve y chirriante frenazo que viene de la calle. Después colocas platos, servilletas y tenedores, y te tomas un descanso en el sofá viendo un programa de humor de imitaciones de gente famosa.

Te quedas ahí sentado viendo cómo las humoristas ridiculizan a personajes de la actualidad y echas unas cuantas carcajadas mientras oyes sirenas en la ciudad. Miras el reloj y piensas que ya es tiempo de volver a la cocina. Por la más desganada de las curiosidades te asomas a la ventana. Abajo hay un coche patrulla, las sirenas están cada vez más cerca, algo atraviesa tu alma como un engaño, te quedas unos segundos sin pulso, sin aliento, como de piedra, pero no inerte; horrorizado. No te esperabas esto. Vienen a por ti.

Dejas todo, coges una chaqueta y, por primera vez desde que llegaste, abres la puerta. Está cerrada. Recuerdas que Candi te dijo que guardaba una copia de las llaves en algún cajón. Rebuscas y las encuentras. Ahora sí abres la puerta. Solo hay escaleras de bajada, ya sabías que no había ascensor, pero no esperabas que el edificio fuese tan viejo.

Corres escaleras abajo, saltando los últimos peldaños de cada tramo. Una vieja se asoma a la puerta de su apartamento, como un búho maligno te mira a través de sus viejas gafas de pasta en un gesto de fugaz su asco y rechazo, antes de volver a encerrarse en su madriguera. Sigues bajando. El suelo retumba cada vez que alcanzas un descansillo, cuatro escalones y un salto. Escuchas voces que vienen del portal, entre ellas distingues la de la dueña del piso.

—Es el último piso, al final de las escaleras —le oyes decir.

El vocerío y el trotar de las agentes avanzan violentamente y sin miramientos, es imposible alcanzar el portal.

En el descansillo de entre cada piso hay una ventana, alcanzas la de entre el primero y el segundo y la abres para saltar.

—¡Alto! —dice una voz detrás de ti.

Miras atrás y ves a por lo menos cuatro agentes, una con la pistola desenfundada. Saltas sin pensártelo dos veces y caes a un patio de luces.

Hay dos puertas y dos ventanas; una con barrotes y otra sin ellos. Intentas abrirlas, pero las dos están cerradas. La policía está a punto de abalanzarse sobre ti. Desde el patio abres la ventana de los barrotes, metes la mano, alcanzas las llaves de la puerta desde dentro y consigues girar la cerradura. Una agente acaba de saltar y ya está en el patio. Abres la puerta y cierras desde dentro llevándote las llaves contigo. En la vivienda se oye un televisor encendido. Atraviesas un dormitorio a oscuras y una sala de estar en la que hay dos mujeres viendo la tele que gritan al verte mientras tú corres sin detenerte. Alcanzas a salir del apartamento y te das cuenta de que estás en otro edificio.

Corres y sales a la calle. En un cruce ves varios coches de policía aparcados, con las luces de las sirenas aún girando sobre sí mismas y varias agentes mirando hacia el portal por el que se supone que deberías salir. Intentas doblar la esquina contraria adonde ellas están, hasta que oyes a alguien gritar.

—¡Ey! ¡Allí!

Vuelves a ponerte en marcha, corres buscando calles por las que perderte. No tardas en despistarlas, aunque pronto oyes el arrancar de un coche y las sirenas que vuelven a sonar.

¡Maldita sea!

Apenas puedes escuchar las ruedas haciendo saltar la gravilla, rodando bajo el irracional estado de alarma, pero sabes que están muy cerca.

Te tiras al suelo ocultándote tras un vehículo estacionado en la calle y segundos después un coche patrulla pasa de largo a tu lado. Te levantas y corres en dirección opuesta al mar.

Todavía puedes oír las sirenas que vienen y van cuando te encuentras de frente con otra patrulla parada en medio de la calle. Las agentes están fuera del coche tomando café, con ellas está Candi, que llora en el hombro de una mujer no uniformada. Al verte, los agentes tiran los cafés y corren al vehículo. Candi no reacciona, os quedáis mirándoos solo un instante, contemplas su expresión de serenidad hundida, de súplica y desconsuelo. Las policías arrancan el coche y tú vuelves a la carrera. Esta vez están demasiado cerca, intentas despistarlas entre pequeñas callejuelas, pero es inútil, las tienes encima. El morro del vehículo respira incisivo tras tus talones y puedes escuchar cómo otra sirena también se aproxima.

Tiras la toalla y dejas de correr, el coche de policía decelera cuando, de pronto, es embestido por otra patrulla, no es nada grave, pero los dos coches quedan desplazados y te da tiempo a escabullirte. Esta vez ya no sabes hacia donde corres, escuchas a las sirenas ir de un lado a otro mientras, desorientado, solo piensas en correr. Las calles desaparecen y solo queda el puerto abierto, el mar. Un coche de policía hace ronda en silencio. Esperas a que pase y atraviesas el muelle hasta llegar a unos contenedores. Entre las sombras tomas aire y consigues pasar entre ellos para esconderte allí. No sabes cómo te encontraron ni qué pudo fallar, solo te obsesiona que Candi te haya podido traicionar.

El corazón sigue a cien. Te das cuenta de que uno de los contenedores no está cerrado con candado, abres solo un poco la puerta y, apretando las costillas y contrayendo el tórax contra el metal, consigues colarte dentro. Te quedas en la oscuridad, retomando el aliento en un espacio reducido entre paredes de frío acero y presionado por pesadas cajas de cartón.

16

Opacos ruidos de sirenas se aproximan y alejan subversivos. En ocasiones, lo hacen quedándose rondando demasiado cerca, lo suficiente como para que te encuentren si decides salir disparado. Reducido por esa constante contusión sumergida en algún espacio ulterior, que llega a ti profunda y grave, a punto de alcanzarte. Rodeándote, invadiéndote, alejándose y regresando. Tú, encogido, de cuclillas, con la cabeza hundida entre las rodillas, cubierta por tus horrorizadas manos; inmóvil y espiritualmente atrofiado, sin más voluntad que la de un clavo torcido; empeñado en reducir tu presencia, tu cuerpo y tu conciencia a los niveles más insignificantes. Desaparecer dentro del contenedor, dentro de tu cabeza.

Cesan las sirenas, y entonces escuchas el mar. Una leve brisa sosiega tu ánimo y tu comprimida rigidez. Muy despacio te sientas en el suelo y apoyas la espalda contra la pared. Durante la maniobra no puedes evitar provocar que el acero de la estructura resuene bajo tus meticulosos, aunque ciegos, movimientos.

Tras horas de contener el aliento, al fin alcanzas a sentirte a salvo. No quieres llorar, pero derramas dos lágrimas mordiéndote el puño para contener el llanto. Cuando consigues deshacer el nudo que tienes en la garganta, comienzas a respirar profundamente, disipando la ansiedad; totalmente en blanco y a oscuras.

Estás acorralado, encerrado, y no sabes hasta cuándo debe seguir siendo así. Cualquier sonido que no sea el constante susurro del vaivén marítimo te pone alerta. Quieres ponerte en movimiento, desahogar tus frustraciones, pero, a pesar de que solo te quedan las emociones, no es posible.

No tardas en buscar un culpable a tu situación y la imagen de Candi junto a las policías cae sobre ti como la vergüenza de una verdad que nunca quisiste admitir. «Estúpido, estúpido, imbécil». Te repites una y otra vez, intentando descifrar desde cuándo te habrá vendido. Recuerdas los buenos momentos que tuvisteis y una vez más vuelve a tu cabeza la estampa de la traición, y la maldices por enésima vez, preguntándote cómo pudo haber sido capaz, precisamente el día que celebrabais haber dado con Carla. Puede que se tratase de un asunto de celos, que te quisiese solo para ella. Un acto egoísta y por despecho, una reacción irracional ante la posibilidad de que te expusieses a entrar en contacto con otras mujeres, algo que ella no había contemplado y para lo que no estaba preparada. Después de todo, ¿qué se puede esperar de una pieza más de este sistema matriarcal y opresor? Llegaste a pensar que ella era diferente, pero está claro que con las mujeres no se puede contar, son todas iguales.

Vuelven a ti aquellos ojos con los que te miró la casera; ambos os visteis entonces por primera y única vez, y ella solo pudo señalarte con esa impetuosa energía acusadora que tan bien conoces; esa presuntuosa y necia sagacidad dirigida por retraídos complejos y frustraciones que fácilmente salen a la luz regocijándose en seductores juegos de persecución, exclusión y en todos aquellos en los que se premie la crueldad.

Por momentos indultas a Candi. Recuerdas cómo esta misma mañana la casera la avisó de que si estaba viviendo con alguien tendría que subirle el alquiler. Puede que ella ya sospechase algo, o quizá fueron las vecinas que le avisaron a ella, quién sabe, pudo haber sido cualquiera: una vecina que oyese tu voz, una *voyeuse*... Incluso te planteas que las páginas de internet relacionadas con Irlanda podrían estar vigiladas, que las visitas quedasen registradas; hasta pudo haber sido Carla, la amiga de tu padre, quien avisara a la policía.

Has sido demasiado ingenuo, ahora te das cuenta. Este es un mundo dominado por mujeres y aprieta. El viejo Buenas Tetas lo sabía, posiblemente fuese el único del centro que supiese de qué iba todo esto en realidad.

Absorto y pensativo, suspiras por la ilusión de que quizá Candi no haya tenido nada que ver. Tu ingenuo imaginario crea una historia complaciente, aunque poco probable, que la deja a ella libre de culpa y responsabilidad, una fantasía a la que eres incapaz de añadirle banales detalles y a la que se le suman los recuerdos más tiernos de Candi, haciéndose cada vez más real.

En el ocaso de la espirituosa divagación te encuentras con un lejano amigo, él nunca tuvo malicia y le daban igual las mujeres. Este mundo no tenía cabida para él, estaba condenado a ser un inadaptado; quien no tiene nada que ofrecer a las mujeres no llegará a ser nadie, ni siquiera entre ellas. Pobre Zacarías.

Adormilado, pasas la noche enclaustrado en el reducido habitáculo. Tan solo oyes unas voces afuera que no parecen ir contigo a las que enseguida dejas de dar importancia. Te encuentras dócil, abandonado y cansado. No estás seguro de si has dormido pero, de súbito, un estruendo metálico te desvela sorprendiéndote al borde del sopor. A causa del sobresalto golpeas involuntariamente la puerta con el brazo, haciendo sonar la pared como un bidón. A pesar de tu preocupación, el estruendo parece pasar inadvertido para los de fuera.

Desde la ya asimilada oscuridad, en la negrura, reconoces un ruido que suena de fondo. Te resulta muy familiar y lo identificas sin dudarlo: las grúas han empezado a trabajar y están embarcando contenedores.

Escuchas voces que discuten sobre maniobras de transporte e instrucciones; pitidos, movimiento de maquinaria hidráulica, los sucesivos estruendos que supone el manejo de carga pesada y que cada vez suenan más cerca, hasta que ineludiblemente, llega tu turno y uno suena sobre tu cabeza. Sientes elevarse el compartimento, el suelo se balancea y te agarras a la pared para no resbalar. La puerta está suelta y comienza a abrirse por la pendulante inercia. En una mirada fugaz a través de tan solo unos centímetros de apertura, el vértigo penetra en ti a quince metros de altura con toda la plena luz del día. Basta con esta soslayada visión para que tus pupilas se dilaten y tu corazón se revolucione. El brazo te sale disparado y con los dedos frenéticos por agarrar la puerta con total imprecisión, en un ruin zarpazo. Finalmente consigues atraerla contra ti y, sin soltarla, te arrimas lo máximo posible a las cajas de cartón que ahora tienes a tus espaldas. Incluso tras el violento retumbo que sufres al tomar tierra, todavía continúas inmóvil, con los dedos tensos, desordenados, sin soltar la puerta de acero.

La grúa prosigue con su trabajo. No sabes adónde te llevará esta embarcación, ni cuándo zarpará, pero te encuentras más a salvo a bordo que en el puerto. Sientes también que tienes que aprovechar esta oportunidad. Escuchas con atención las maniobras de carga, esperando, cuentas cincuenta y seis contenedores. Luego el movimiento cesa y no tardas en quedarte dormido.

Eres incapaz de adivinar cuánto tiempo has estado durmiendo, pero te despierta una bocina de barco, seguramente de tu barco. A pesar de estar a oscuras y no percibir balanceo alguno bajo la estructura en la que te encuentras, notas una leve y repentina actividad en el estómago, estáis en movimiento.

En un soplo, las preocupaciones y dilemas parecen evaporarse. Todo queda atrás, desprendido en aquella costa, aquel país. Cualquier lugar será mejor que aquél, incluso ahora, que no estás en ningún lugar, solo en un habitáculo inhóspito y sin luz, estás mejor que allí. Solo con el ímpetu de la partida empiezas a pensar en la posibilidad de que la embarcación se dirija a Plymouth. «Inglaterra, el Reino Unido». Allí te acogerían y podrías pasar a Irlanda, empezar de nuevo.

Tus ensoñados pensamientos vuelven a la realidad alertados por la primerísima necesidad de defecar con extrema urgencia. Aguantas dolorosamente y arrancas, casi sin pensar, parte del cartón de la mercancía que te acompaña, con la intención de depositar sobre éste el producto del acto excretor. Te las arreglas como puedes y te vuelves a subir los pantalones. El tiempo pasa sin miramientos ni referencias, simplemente asimilas el hedor.

Ahora sí oyes el mar y el suelo oscila su pendiente acompañando el balanceo del oleaje. El estómago se revuelve y en un impulso, sin pensar en las consecuencias, abres la puerta y vomitas arrojando lo poco sólido que te quedaba dentro.

Pequeños trozos de tu última comida esparcidos por el suelo, en un tinte de jugos gástricos. Parece el sórdido producto de una desafortunada jornada de pesca con red.

El viento sopla frío y cortante, el mar suena fuerte y fresco como nunca lo habías oído. Miras a tu alrededor y descubres que te encuentras en un pasillo de contenedores apilados; a los extremos del mismo, la borda como última existencia tangible antes del negro infinito.

Regresas a tu infame camarote cerrando la puerta detrás de ti, pero los remordimientos y el patente olor a mierda no te mantienen mucho tiempo encerrado. De la mercancía arrancas más pedazos de cartón que pretendes utilizar para limpiar los vómitos de cubierta, pero al salir afuera y verte de nuevo frente a los restos vuelven a darte nauseas y, sin soltar la puerta, vomitas de nuevo. Vomitas hasta quedarte vacío. Calado. Débil, limpias como puedes el estropicio, incluso te ayudas con las mangas del jersey para secar algunas zonas. Recoges los malolientes cartones y los lanzas por la borda junto al zurullo. Al acabar te asomas a un extremo del pasillo de contenedores. El barco es realmente grande, al menos unos ochenta metros de eslora. Distingues luz en el puente, que se eleva dominando los mares. Sin pensarlo regresas, vuelves a encerrarte y pasas la noche exhausto e inmóvil, apagándote por la asfixia, como una insignificante llama a punto de sucumbir en la oscuridad.

El mal sabor del devolver y el llevar más de un día sin ingerir nada, ha resuelto en ti una sed pastosa y de lo más miserable. Parte de la mercancía que contenían las cajas se ha desprendido de su interior. Unas latas que contienen algo que huele a pintura ruedan ahora por el suelo dejándose llevar por la marea. Ya no te preocupa el ruido que puedan hacer. En el abandono de la escasez encuentras ese momento en el que el mero incordio y la incomodidad te reactiva y abres la puerta para salir de nuevo a cubierta. El cielo es un enfurruñado mar gris y el mar es un verdadero mar: una sacudida constante, un franco oleaje, una naturaleza imposible, abrumadora; ondulaciones vivas, montañas de fuerza absoluta desplazándose a su voluntad, una masa interminable de titanes y destrucción sobre la que un barco mercante se mantiene a flote. Una visión vasta, nueva, libre y amplia: una revelación.

Me mantengo mirando el horizonte resguardado en el extremo del pasillo de contenedores de tres pisos. La amplitud del mar es admirable, es tan basto y bravo... Esta es la primera vez que contemplo un horizonte abierto en todas las direcciones, sin ni siquiera una muesca litoral ni de nada habitable a la vista. Tampoco he estado jamás tan alejado de la civilización, es más, nunca he salido de ella. Comprendo que estoy en medio de la nada y no soy capaz de echar nada en falta. Esta sensación de desentendimiento me hace sentir irrefutablemente libre. La lluvia cae fría sobre mi rostro, refrescándome los labios mientras el mar bate con violencia. Apenas tengo fuerzas, pero sé que resistiré hasta llegar allá adonde nos dirijamos.

Regreso a mi refugio y espero a que anochezca con la puerta entreabierta y en estado de alerta. Como ya esperaba, nadie se aproxima a la zona de carga. A través de los extremos del pasillo contemplo una puesta de sol sin sol: la lluvia ha cesado, las nubes toman un suave color rojizo y el mar se ha vuelto más dócil con el trascurso de la tarde. Cae la noche sin estrellas ni luna. Espero paciente, deseando que pase un periodo de tiempo prudencial, y cuando pasa, espero un poco más. Dejo transcurrir una demora programada en un bucle rectilíneo y monocorde. La serenidad me permite prolongar la paciencia hasta sentir que es demasiado tarde.

Llegado el momento me pongo en marcha. Salgo por un extremo del pasillo y compruebo que en algunas ventanas del entrepuente hay luz y, sin despegarme de los contenedores, sin perder el contacto, me deslizo hasta la cubierta de popa. Sé que en una mala sacudida podría acabar precipitándome al océano.

Alcanzo la última fila de contenedores y avanzo agachado y sigiloso hasta ponerme bajo una de las ventanas con luz que hay en el entrepuente y me asomo a ella. Distingo un grupo de unas cinco mujeres curtidas, fumando tabaco y bebiendo café en lo que parece un comedor preparado para al menos diez comensales. Todas atienden en silencio a lo que está contando una de ellas, que habla con una expresión cruda y serena, pronunciándose con notoria autoridad. Otra mujer entra en la habitación y recoge algunos de los platos que quedaban sobre la mesa, con restos de lo que fue una cena.

Inmediatamente bordeo la estructura y topo con una galería bajo cubierto. En ella hay una puerta con ojo de buey que se abre con una especie de palanca. Me asomo rápidamente por el cristal y veo pasar de vuelta a la mujer que estaba recogiendo la mesa. Aguardo paciente, me dan ganas de seguir inspeccionando la parte trasera del barco, pero veo en ello un riesgo innecesario. Adjunta a la puerta, descubro una ventana con luz que me confirma que estoy a una estancia del único lugar de todo el navío que me interesa visitar: la cocina.

Oigo un estrepitoso murmullo que precede al chirrido de sillas producido por la tripulación al levantarse de la mesa. El grupo se mueve y parsimoniosamente desaparece subiendo las escaleras, apagando las luces detrás de sí. En mi cabeza cuento hasta mil. Antes de llegar al final, vuelve a salir luz a través del ojo de buey y posteriormente de la ventana de la cocina. A los pocos minutos se vuelven a apagar vuelvo a empezar la cuenta desde el principio, esta vez hasta dos mil. Antes de llegar a mil seiscientos, hago girar la palanca y abro la pesada y rígida puerta, me cuelo adentro con ágil ligereza y la vuelvo a dejar cerrada. Ignoro las voces que oigo al final de la escalera, abro la puerta de la cocina y la cierro detrás de mí. Allí me sorprende comprobar que no hay comida a la vista. Abro la nevera y, sin mirar, cojo unos paquetes de salchichas que me meto en los bolsillos, también unas piezas de fruta. Abro las alacenas y cojo un paquete de galletas. Agua, necesito agua. No la encuentro, revuelvo todo, pero no la encuentro.

Mi cuerpo se paraliza al oír unos pasos que bajan las escaleras. No hay tiempo, salir de aquí sin ser visto es imposible, y escapar por la ventana resultaría demasiado aparatoso. Cierro alacenas y cajones y me encojo tras los fogones de la cocina rezando para que no me vean.

Alguien entra encendiendo tan solo una luz. Aunque no alcanzo a verla, juraría que no se ha percatado de mi presencia. Escucho el quejido de una bisagra y más pisadas que descienden aun más abajo y un lejano ruido de bolsas de plástico. Me asomo y veo una trampilla abierta en el suelo. Los pasos vuelven a subir y escondo la cabeza. La mujer cierra la trampilla, apaga la luz y da un portazo. Sus pasos continúan alejándose, perdiéndose al final de la escalera.

Enciendo la luz, abro la trampilla y accedo a una pequeña habitación en la que hay un congelador industrial y varias botellas de agua, vino y refrescos. Cojo el agua y salgo de ahí. Agarro todo como puedo, apago, cierro y vuelvo a mi contenedor. Tardo en encontrar el refugio y por el camino se me caen un par de manzanas. Reparo en recogerlas, pero no voy a verlas en la oscuridad. Los contenedores ahora se me hacen todos iguales. La búsqueda se vuelve inextricable, desesperada. Recorro varios pasillos, pero se me hace imposible encontrar mi puerta ni ninguna otra que esté abierta, continuamente repito el mismo itinerario sin alcanzar a localizar la mía. Antes estaba aquí, lo sé, pero ahora ya no está. No puede ser, una vez y otra y otra y otra camino ansioso por los mismos pasillos y, entonces, encuentro el contenedor sin cerrojo. Por fin me pongo a salvo. Bebo agua y comienzo a devorar salchichas sin acabar de creérmelo.

A la mañana siguiente despierto con otra energía. Abro la puerta y el clima no resulta ser tan violento. Me asomo a babor y me sorprende ver tierra tan solo a unos pocos kilómetros. Distingo lo que parece ser un pequeño pueblo pesquero. «Inglaterra», pronuncio para mí mismo. Me quedo absorto, maravillado por el paisaje hasta que intuyo unos golpes que vienen de popa. Me asomo y veo a la mujer de expresión dura que ayer estaba presidiendo la sobremesa, ahora con un chubasquero amarillo, aporreando los contenedores gritando alguna orden. Muy malhumorada dice algo de un polizón y lleva una manzana y un paquete de salchichas en la mano.

«Mierda», digo al saber que me encontrarán, es cuestión de tiempo.

Le echo un último vistazo al pueblo pesquero y pienso que aquella costa tiene que ser inglesa por necesidad. Hace años que no nado, y más aun que no nado en el mar. Es mucha la distancia, pero es ahora o nunca. Vuelvo la mirada. Varias mujeres salen de un pasillo de contenedores para meterse en el siguiente. No hay duda.

Me quito los zapatos y salto al mar. La caída es dolorosa, el agua está helada, intento salir a la superficie pero no la encuentro, sumergido con la cabeza congelándoseme, al igual que el cuerpo entero.

Alcanzo la superficie, tomo aire y nado, nado, nado. Una ola me eleva. Por primera vez miro atrás y veo al barco alejarse. Sigo nadando. A bordo parecía que el pueblo estaba más cerca y que el mar estaba más manso. Sigo nadando; una ola, una corriente; sigo nadando.

Las botas se te hunden en la tierra mojada, el esférico avanza por el aire, veloz, sin parábola, el público vocifera, te exige más, pero las piernas te fallan, el campo está lleno de baches, tú estás empapado y tus zancadas son obtusas y descoordinadas. En un esfuerzo destartalado, descuidas tus movimientos y te tuerces el tobillo. Caes al suelo mientras el balón se escapa por la línea de banda. Tus rodillas, tu cara, tus codos, tus muslos se arañan contra la tierra y yaces rebozado en el sueño. El aliento de la grada llega a ti, helado. Su picajosa saliva te envuelve, te escupen, te señalan, juran sobre ti. Entre todos ellos Zacarías está de pie, sonriendo misteriosamente, sin decir nada, y luego desaparece. El resto sigue despotricando a pocos centímetros de tu cara. Sus expresiones ruborizadas de ira, verdaderas bestias. Sobre ti, ya de bruces y abandonado.

El sonido del mar queda distante y la sequedad en tus labios es lo último que sientes, petrificado por la arena y el agua salada. Has vomitado el agua que has tragado, pero estás exhausto y empapado. La hipotermia te ha vuelto casi inconsciente. Te sientes morir, solo, sin poder hacer nada para salvarte. Las gaviotas graznan una vez más en la costa. El viento castiga tu agotado cuerpo envuelto en la fría pesadez de la ropa calada. Varado en la arena. Casi consciente, impasible a tu final. Unas voces exclaman a lo lejos, voces femeninas inglesas mezclándose con las de los hombres que corren hacia ti. Toda una aglomeración de gente acude a atenderte; apenas oyes la sirena de una ambulancia que tal vez llegue demasiado tarde. Pierdes el conocimiento, expuesto a un futuro incierto, puede que mañana acabes siendo un número más en algún recuento de hombres que murieron ahogados intentando llegar a las islas y todo haya sido en vano, o puede que te despiertes en la cama de un hospital.

Sea como sea, todas esas huellas en la arena mañana se habrán borrado ya.